CW00347684

Gran Angular

Jordi Sierra i Fabra

# El joven Lennon

ediciones  Joaquín Turina 39   28044 Madrid

Colección dirigida por **Jesús Larriba**

*Primera edición: febrero 1988*
*Decimotercera edición: febrero 1995*

Fotografía de cubierta: *ZARDOYA*
Diseño de portada: *Estudio SM*

© Jordi Sierra i Fabra, 1988
    Ediciones SM
    Joaquín Turina, 39 - 28044 Madrid

Comercializa: CESMA, SA - Aguacate, 43 - 28044 Madrid

ISBN: 84-348-4511-3
Depósito legal: M-1158-1995
Fotocomposición: Grafilia, SL
Impreso en España/Printed in Spain
Imprenta SM - Joaquín Turina, 39 - 28044 Madrid

*A ti*

*Prólogo*

*1940*

JOHN Winston Lennon nació el 9 de octubre de 1940 en el Hospital de la Maternidad de Oxford Street, en Liverpool, durante un bombardeo de la aviación alemana.

El futuro había llegado.

*Liverpool*

*1955*

# 1

EL barco, de nombre *Quijote del Mar* y bandera española, dejaba atrás el Albert Dock, también conocido como muelle del Túnel porque casi en su subsuelo el ferrocarril atravesaba el río Mersey. Su imagen tenía la apariencia de lo cotidiano y la profundidad de lo imperecedero. Era un barco que iba o venía —¿cómo saberlo un profano?—, que se hundía al límite de su calado, dejando ver que sus bodegas estaban bien cargadas, y que iniciaba su viaje con la comedida quietud del que se va sin hacer ruido, como si quisiera no molestar. En unos minutos enfilaría hacia el norte, Mersey arriba, hasta ganar la bahía de Liverpool, y con ella el mar de Irlanda, y la inmensidad del océano Atlántico, y después...

Hong Kong, Barcelona, Nueva York. O ninguno de esos nombres, o quizá todos.

Nueva Zelanda.

John suspiró al evocar en su mente esta palabra. Había tenido que buscar su exacto emplazamiento hacía no mucho tiempo. El mundo era demasiado grande. Y Nueva Zelanda parecía hallarse en uno de sus confines.

Se encogió de hombros sin darse cuenta. Al fin y al cabo, hacía casi diez años que él le dijo si quería acompañarle. Y todo el mundo sabe que diez años es mucho tiempo.

—Apuesto a que ni siquiera estás en Nueva Zelanda —le dijo al barco, cuya quilla partía solemne y silenciosamente las plomizas aguas del río—. Puede que estés aquí, en alguna parte de Inglaterra, desde hace tiempo.

El barco se alejó, con su silueta blanca y negra recortándose contra los muelles del oeste, al otro lado del Mersey. A espaldas de John, el tráfico de la calle Strand rugía anunciando la hora del almuerzo.

El muchacho no se movió.

En los últimos meses la pregunta le asaltaba a menudo, y muy especialmente en los muelles, al frecuentarlos durante el día o al anochecer, viendo a los marineros por las tabernas de Wapping, Chaloner, Sefton o Bath. Era muy curioso: nunca le dio importancia a su decisión. A fin de cuentas tenía sólo cinco años. Pero ahora...

¿Le hubiera dejado su madre? ¿Qué habría hecho él en Nueva Zelanda? ¿Sería feliz viviendo una existencia aventurera, en contraste con la monotonía que la presidía ahora, o, por el contrario, habría acabado en un hospicio, abandonado, o con una mujer olvidada por su padre?

Las campanas de la catedral anglicana llegaron nítidamente a sus oídos. De mala gana se puso en pie, sacudiéndose el polvo del pantalón. Faltando diez días para su cumpleaños, era mejor no forzar la situación, aparentar cooperación y buen ánimo. Después de todo, ¿a quién le importaba?

Miró por última vez en dirección al barco. Hacia el norte la concentración de nubes era alarmantemente compacta, ofreciendo una línea de marcada negrura, lo mismo que un mal presagio. Por su imaginación pasaron algunas escenas emocionantes: el *Quijote del Mar* atrapado por la tempestad, luchando denodadamente con la tormenta, cuyas olas de veinte metros barrían la cubierta. Los hombres, despreocupados de ella, aseguraban la carga, desafiando a los elementos. Todos tenían la piel curtida y el valor rezumando por cada poro. Todos tenían mujeres e hijos, o novias, esperándolos en alguna parte.

Y volverían.

Algo que su padre no había hecho.

Dio la espalda al Mersey. Tenía frente a él Liverpool, una más entre las grandes ciudades, cargada de presente y de pasado y desvelando a medias su futuro. Liverpool. Puerto, palpitar, puerta atlántica, conexión americana de la Inglaterra de la posguerra, obreros, esperanzas...

Cruzó la calle Strand caminando hacia la Canning Place y vio el periódico en el puesto de la esquina. El titular era sensacionalista: «James Dean muere destrozado en su propio coche».

James Dean. El último rebelde.

Pasó casi un minuto contemplando el titular, la noticia, las frases alusivas a la rápida carrera del nuevo niño dorado de Hollywood, y los comentarios en torno a su tragedia, su locura. El Porsche deportivo que conducía era un amasijo de hierros retorcidos. Un juguete roto.

—Para uno que lo consigue, va y se mata —suspiró John.

El vendedor del puesto no le quitaba ojo de encima. Sus

14

manos quedaban ocultas por un pequeño mostrador. El muchacho le sonrió de repente, violentamente casi, y sus ojos se abrieron y cerraron varias veces antes de dejar de sonreír, también bruscamente.

Luego dio media vuelta y se marchó.

# 2

CUANDO entró en la sala, su tía Mimi terminaba de poner la mesa. Miró distraídamente el lugar vacío de su tío George, muerto de una hemorragia cerebral dos años antes. Eso le hizo asociar ideas.

—Se ha muerto James Dean.

Tía Mimi cruzó las manos a la altura del pecho.

—¡Jesús, con lo joven que era! ¿Cómo ha sido?

—Se ha hecho papilla con su coche. Aún deben de estar retirando pedazos de su cuerpo.

La mujer se estremeció.

—¡Por favor, no seas macabro, Johnny! —protestó.

El muchacho paseó una mirada a su alrededor, tratando de adivinar lo que habría de comer. Por lo general no discutía con su tía, que era una mujer menuda, afable y llena de vitalidad. En esta ocasión, sin embargo, se sentía combativo. No podía apartar de su memoria al *Quijote del Mar*, la tempestad hacia la que se dirigía al salir del puerto, la idea del peligro.

—¿Llamas a eso ser macabro? ¿Qué prefieres que diga? —su tono se hizo solemne—. James Dean, ese pobre y sencillo muchacho que hacía cine y era tan guapo, ha pasado a mejor vida. ¿O prefieres esto? —volvió a cambiar el tono, imitando al pastor de su iglesia—: Temeraria e imprudentemente, en la flor de su juventud, James Dean...

—¡Johnny, por favor! —protestó tía Mimi en tono de suave reproche.

—Lo cierto es que se la ha pegado, ¿sabes?

—¡Johnny!

Sabía muy bien que su tía raramente se enfadaba. Cedió. La hoja del calendario marcaba el último día de septiembre. Le faltaban diez para cumplir los quince. No estaba mal.

—¿Vendrá mamá el día de mi cumpleaños?

—¿En qué cae? —preguntó tía Mimi distraídamente.

—En lunes.

—Entonces no lo sé.

—El año pasado vino, ¿no?

—Era domingo.

—La última vez dijo que pasaría uno o dos meses con nosotros a final de año. Octubre es casi final de año. Podría...

Tía Mimi levantó la cabeza y le cubrió con una amorosa mirada. Fue algo instintivo, desbordante, que ahogó en ella toda pena e inquietud, y eliminó sus miedos, compasión y paternalismo. Fue sólo un instante. Renacieron en ella la ternura y la bondad, dulces y tiránicas a la vez.

—¿Dónde has estado? —preguntó cambiando de conversación.

—En el puerto.

—No sé qué demonios...

—Me gusta.

Tía Mimi se fue deprisa hacia la cocina al escuchar el borboteo de la olla. John fue tras ella.

—Tú no llegaste a conocer a mi abuelo Jack, ¿verdad?

Los ojos de la mujer se abrieron como platos.

—¡Jesús! —dijo asustada—. Llevaba muerto veinte años cuando tu padre y tu madre se casaron. ¿Cómo iba a conocerle?

—Papá pudo haberte enseñado alguna fotografía.

—John —el rostro de tía Mimi reflejaba su extrañeza—. Tu abuelo Jack murió cuando tu padre tenía cinco años, y él fue a parar al orfanato. ¿Cómo iba a tener una fotografía suya? Además, eso fue hacia mil novecientos diecisiete, en la Primera Guerra Mundial. ¿A qué viene todo esto?

El muchacho fue el que ahora mostró sorpresa.

—No, por nada. Me ha venido a la cabeza.

Tía Mimi tomó la sopera. Esperó a que su sobrino le

16

abriese la puerta y salió rápidamente de la cocina. John la siguió dando largas zancadas. Después de sentarse a la mesa, fijó su mirada en el minúsculo lago de sopa de su plato. Aguardó a que tía Mimi hiciera lo mismo. Y antes de que ella empezara la oración, preguntó:

—¿Sabías que James Dean perdió a su madre a los nueve años, y su padre le dejó con unos tíos porque él no podía cuidarle?

# 3

SE sentó en cuclillas y colocó la guitarra sobre sus rodillas. Le bastó con alargar un brazo para poner en funcionamiento el tocadiscos de color negro, de un negro más intenso todavía en la penumbra de su habitación. El plato, rodando a setenta y ocho revoluciones, arrastró en su giro el disco. Cuando depositó la aguja en los primeros surcos, un ruido, mitad zumbido, mitad crujir de miles de diminutos insectos, le envolvió.

Se concentró en su guitarra, hasta que por el altavoz el inconfundible sonido y magistral estilo de Django Reinhardt le obligó a moverse. Su mano izquierda hizo que cada dedo pinzase una cuerda en lo alto del mástil. La derecha punteó las cuerdas, torpemente, sobre la caja acústica.

Una vez, dos.

Detuvo la aguja y volvió a colocarla al principio del disco. Esperó, con los ojos cerrados y las manos inmóviles, a oír por segunda vez el inicio del tema. Lo tarareó. Colocó una tercera vez la aguja al comienzo del disco, y luego una cuarta, una quinta y una sexta. A la séptima intentó de nuevo tocar lo que oía, sin éxito.

—Maldito compás —farfulló en un acceso de rabia.

Se olvidó del disco. Ahora lo tenía fresco en la memoria, igual que un pájaro atrapado al vuelo. Los dos primeros compases estaban asimilados. Fallaba el tercero y el rápido cambio. Otra cosa era sonar como Reinhardt. Lo importante seguía siendo asimilar la melodía. Puso el dedo anular en el último traste y probó con las tres primeras cuerdas. El sonido de la tercera le hizo saltar de alegría.

—¡Ahí está!

Un momento. ¿Cómo eran los dos primeros? Dejó la mano izquierda inmóvil y punteó con la derecha. Uno, dos y tres. Uno, dos y tres. Poco a poco, más rápido, aprendiendo el movimiento, así: poco a poco, más rápido, uno, dos y tres, los ojos bien abiertos.

—¡Mmmm, soy un genio!

Puso el disco, y dejó que la música sonase un poco más. Volvió a colocar la aguja al comienzo. Otra vez. Y otra. Y otra.

—¡Johnny!

Casi lo tenía, estaba seguro. El grito de su tía le desconcertó un poco, pero no perdió la calma. Tocó el primer compás y descubrió maravillado que lograba enhebrarlo con el segundo, hasta el acorde final.

—¡Johnny!

La última nota fue absolutamente disonante. Johnny arrugó el entrecejo y no reprimió la invasión de las furias.

—¡John...!

—¿Qué pasa, tía?

Fue un grito casi feroz. Mentalmente se imaginó a su tía bajando dos o tres escalones de golpe.

—¿Qué le pasa a ese disco? ¿No habrás vuelto a estropear el aparato?

Su tía lo llamaba «aparato» o «fonógrafo».

—¡Estoy practicando! —vociferó él—. Tengo que practicar, ¿no? Quiero decir que, si no puedo pagarme unas clases, lo menos que puedo hacer es tocar, y no se me ocurre ningún otro sistema para...

Tía Mimi demostró conocer sobradamente los ataques de lógica irrefutable de Johnny y su apasionada oratoria. Su voz logró imponerse a todos los sonidos y dijo en tono conciliador al otro lado de la puerta:

—Está bien, está bien, pero ¿te importaría ponerlo un poco más bajo? Es francamente molesto estar oyendo todo el tiempo lo mismo, una y otra vez. Eres capaz de estar ahí toda la tarde y...

John no contestó, pero hizo caso a la invitación, antes de que se convirtiera en orden terminante. Los pasos de su tía se alejaron. ¿Quién podía oír música en voz baja? Acabó suspirando resignado.

Y bajó el volumen del tocadiscos.

Mano izquierda en el mástil, sobre los trastes, cada dedo pulsando una cuerda. Ojos cerrados. Máxima concentración. La derecha sosteniendo la púa entre el pulgar y el índice. Las falanges al máximo de su sensibilidad.

Django Reinhardt.

O él.

Los dos compases saltaron al aire, como una limosna volando hacia el necesitado o un oasis golpeando la retina del sediento: limpios, suaves, casi brillantes, viscerales, aunque de una dudosa calidad. Una melodía abriéndose en la penumbra.

—¡Perfecto! —dijo John entusiasmado.

Y volvió a poner el disco.

# 4

—Tú tampoco tienes padre, ¿verdad?

Era la maldita pregunta que solía odiar. Conocía a la perfección lo que iba a seguir a continuación.

—Claro que tengo padre —dijo—, lo que pasa es que no está aquí.

Griffiths le interesaba. Había oído decir que tenía una guitarra y sabía tocarla. Teniendo en cuenta esto, ¿qué importaba que supiera la verdad, o una parte de ella?

—¿Así que no murió en la guerra?

—No.

—¿Vives con tu madre?

—No.

Eric Griffiths se quedó un tanto perplejo. De no haber sido su compañero el que se acercó a charlar y comenzó la conversación, habría pensado que John no le daba pie para continuar la charla.

—Mi padre sí que murió en la guerra —afirmó.

—¿En Dunkerque?

—¡No! De haber muerto en Dunkerque yo no estaría aquí, por supuesto. Pilotaba un bombardero y cayó al Canal.

—Mierda.

—¿Qué?

Dejó de mascullar. El hijo de un héroe de guerra. Peligrosísimo. Los peores. A él, en cambio, ¿qué le había cabido en suerte? Un padre que le abandonó cuando tenía cinco años y una madre que no pasaba con él más que unos días al año, semanas a lo sumo. Todo lo que tenía era a su tía Mimi. Realmente no era gran cosa.

—La guerra nos fastidió a todos de una forma u otra —sentenció.

A lo lejos, los suburbios se arracimaban en dirección a Bebington, cubriendo de ladrillos ennegrecidos el camino de la miseria, señalizando cada cruce invisible, cada puerta tras la cual unos niños esperaban el jornal de su padre, estibador o peón, o de una madre viuda con una medalla en el armario por la que ya no le daban más que honores. Desde donde estaban ellos, las gorras de los obreros parecía que caminasen solas, coronando espaldas encorvadas o cabezas huérfanas de ilusión. Si esto es la paz, diez años después del fin de la guerra, ¿cómo fue la contienda?

A veces lo recordaba, incluido el fuego y las explosiones de los bombardeos. ¿O se lo imaginó, como tantas otras cosas?

Los suburbios también parecían lejos desde allí.

Y ellos no dejaban de ser unos privilegiados: clase media baja, según los censos.

—¿Es cierto que tienes una guitarra?

—Sí —contestó Griffiths.

—¿La tocas bien?

El muchacho se encogió de hombros, inclinó la cabeza y

selló sus labios. No dijo nada, dejando que sus gestos hablasen por sí mismos.

—Yo también tengo una guitarra.

—¿Te gusta la música?

—Mi abuelo fue cantante. Estaba en los Kentucky Minstrels.

Los héroes bélicos de la vida de Eric Griffiths desaparecieron.

—¿De veras, Lennon?

—Murió en el año mil novecientos diecisiete, después de salvar la vida a dos hombres de su pelotón.

Un vivo o un muerto en la Segunda Guerra Mundial era comprobable. Pero un héroe de la Primera inventado, ¿quién iba a enterarse? Si Griffiths tenía un padre, él tenía un abuelo.

Se arrepintió al momento de haber dicho aquello.

¿Y si hubiese por algún lado una biografía de los Kentucky Minstrels?

—Oye, podríamos tocar la guitarra juntos algún día para practicar, ¿no te parece?

John se extrañó de la coincidencia. Eso mismo iba a proponerle él a su compañero de colegio.

# 5

EL *Karlskrona* y el *Gulf of Stars* fondeaban uno cerca del otro en los King's Docks, el primero con su bandera sueca y el segundo, pese al nombre en inglés, con bandera panameña. John las conocía casi todas.

Los marinos solían ser gente peculiar. Del más cerrado podía conseguirse una moneda de seis peniques por el simple hecho de darle una seña o recomendarle una pensión portuaria, y del más amigable una cantidad parecida, o superior, si se sabían jugar debidamente las bazas precisas. Cuando tenía cinco años, e incluso antes de que acabara la guerra, los americanos se convertían en papá noeles, con sus bolsillos cargados de chicles y chocolate. Llegaban a Liverpool, el primer puerto inglés del Atlántico, o hacían escala en la ciudad. Liverpool era el gran paso, la puerta que giraba y giraba sin cesar, como si fuese un inmenso batiente en la geografía británica.

El marinero bajó la escalerilla del *Gulf of Stars*, un paquebote destartalado que milagrosamente flotaba. Era mestizo. Iba cargado con un petate corriente. Saludó al oficial de guardia y pisó tierra con una sonrisa. Luego echó a andar.

El lugar que ocupaba John, apacible y despreocupado, era estratégico. Estaba subido en un murete.

El puerto en otoño le atraía sin poder explicar el motivo. Tampoco le importaba. Solía guiarse por su instinto. El puerto, y especialmente su gente, eran la libertad, el paradigma de lo inescrutable, el misterio de lo desconocido. En sus ojos llevaban el reflejo de las estrellas de otros cielos, y en sus zapatos el polvo de otros caminos, de ciudades fascinantes. Tenían mil historias guardadas en sus cabezas, y la sensación de dar vueltas en círculos, sin ir a ninguna parte, como a veces le sucedía a él.

Y eso que jamás se había movido de Liverpool.

—¡Eh, chico! ¿Te interesa comprar buenos discos?

El marinero estaba a su lado, y el saco en el suelo, aunque bien sujeto con su mano derecha. John le miró confuso por la pregunta.

—¿Qué clase de discos? —preguntó, desconfiado.

—Discos —repitió el hombre, como si esto sólo ya fuera suficiente—. Lo más nuevo de Estados Unidos.

—¿Johnnie Ray, Cole y todo eso?

—¡Vamos, chico, te estoy hablando de música! ¿Y de quién me hablas tú? ¡Yo hablo de *rhythm & blues!*

Se agachó, abrió el petate, metió una mano y sacó media docena de discos. Parecía que éstos eran el único contenido del saco. John vio en las cubiertas los nombres de Little Walter Jacobs, Lightnin' Hopkins, Big Bill Broonzy, Big Mama Thornton, Professor Longhair.

—No conozco a ninguno —dijo el muchacho.

La desilusión se asomó al rostro del marinero. Su voz jugó a toda una sinfonía de inflexiones.

—¡Diablos! —miró a su alrededor—. ¿Esto es Liverpool? ¡No, me habré equivocado! Claro que puede ser Liverpool y yo he tenido la mala suerte de dar contigo —hizo un gesto de conmiseración—. ¡Bah, aquí en Inglaterra no hacéis más que porquería, y es una pena!

Metió de nuevo los discos en el petate y John tuvo una de sus intuiciones. Se movió inquieto. Discos americanos de verdad, y al alcance de su... Contó mentalmente el dinero que llevaba en el bolsillo, todo lo recogido en su cumpleaños.

—Si pudiera oírlos...

—¿Oírlos? —le salió espontáneamente—. ¡Me los quitan de las manos, chico! Ahí delante —y señaló la ciudad— sí que hay gente interesada de verdad. Yo creía que tú eras uno de los listos, que no querías que nadie se te adelantase. Tengo prisa y clientes. Lo siento.

Hizo ademán de querer continuar su camino.

—¿Cuánto? —preguntó John.

—¡Ah, veo que te interesa y estás regateándome! —dijo el marinero guiñando un ojo—. Está bien, veamos; llevo unos cien —escrutó la cara de su posible comprador al decir—: ¿Tú no llevarás encima cinco libras?

La cara de John le indicó que no las llevaba.

—Son de lo último, chico, están prácticamente nuevos y has de valorar el transporte.

John parecía desalentado, pero superó la primera impresión. Aquel tipo tenía ganas de comenzar a vaciar su petate, y difícilmente colocaría todo el lote de una vez. En una tienda tampoco le darían más.

Aquellos discos parecían extraordinariamente buenos.

—Seis por un chelín —ofreció de repente—, y yo los escojo.

Un claxon cercano ahogó la protesta del marinero.

# 6

—¿**H**AS pagado media corona por esto?

La voz de Griffiths reflejaba todo el horror que sentía. Shotton y Hanson secundaban perfectamente su incredulidad.

—Esto es música de verdad, lo que se hace en América, y aquí no nos enteramos porque la BBC sólo pone las cursiladas de siempre.

—¿Cómo sabes que es música de verdad, lo último y todo eso, si ni siquiera los oíste al comprarlos? ¡Ese marinero te hizo un lavado de cerebro y te endosó un muerto!

—¡Pero bueno! —John dejó de defenderse y pasó al ataque—. ¿Tú crees que yo no sé quiénes son Big Mama Thornton o los Ink Spots?

Sus tres compañeros quedaron desarmados. Griffiths le miró con un destello de admiración.

—¿De verdad los conocías?

—Si a uno le gusta la música, ha de estar preparado y enterado de todo lo que funciona. Por supuesto no conozco estas canciones —subrayó las dos últimas palabras—, porque son las últimas que han grabado.

—¿Y de qué estilo son? —preguntó Shotton.

—*Rhythm & blues* —recordó las palabras del marinero en pleno negocio y agregó—: El *rhythm & blues* es la base del montaje americano, ¿sabes? Los negros hacen las canciones y luego van los blancos, hacen su propia versión, la endulzan, y las convierten en éxito. Pero ¡aquí está la inspiración original!

Hanson dijo resignado:

—Aquí todo lo que no sea *skiffle*...

—¿Y qué te crees que hacen los artistas ingleses, cabeza de chorlito? Apuesto a que casi todo lo que oímos viene de discos como éstos. Hay que ir a las raíces del asunto. Si te quedas en la superficie...

Colin Hanson siempre había sido el más reacio. La oratoria y poder de convicción de John se estrellaban en él.

—Mira, Lennon, es tu dinero, así que si quieres tirarlo... Yo sólo digo que esto es música de negros y que aquí en Inglaterra no interesa. ¿Conoces a alguien al que le guste este ritmo?

—Yo tengo un tío trabajando de camarero en un club, en la zona de Upper —dijo Shotton—, y por lo visto tocan artistas negros y está siempre lleno.

—¿Lo ves? —saltó John. Luego se dio cuenta de la importancia de lo que acababa de decir su compañero y se dirigió a él—. Oye, ¿por qué no me habías dicho nada de ese tío tuyo y del club?

—Porque comenzó a trabajar hace un mes, poco más o menos, y hasta la semana pasada no lo oí decir en casa. A la familia no le gusta mucho, y creo que han tratado de evitarlo.

—Un club aquí mismo, en Liverpool —insistió John entusiasmado—. Por lo que sea, la música de verdad la hacen los americanos. Hasta Chris Barber acaba de sacar un álbum que se llama *New Orleans joys*. Con estos discos nos hemos adelantado por una vez a todos, y por lo visto los marineros del puerto llegan siempre cargados de discos.

—En lugar de charlar tanto, ¿por qué no vamos a oírlos? —apuntó Eric Griffiths.

—¿Vamos a tu casa, Lennon? La mía cae más cerca, pero mi madre odia la música. Tu tía, en cambio...

Se alejaron de la zona de la escuela, la Quarry Bank High School, en la que todos habían ingresado en 1952. Estaban en su cuarto año. A medida que se acercaron a la casa, la discusión en torno al verdadero valor de la música negra decreció hasta convertirse en silencio cuando entraron.

Tía Mimi apenas tuvo tiempo de hablar.

—Hola, tía —John, muy alegre, le dio un beso en la mejilla—. Vamos a mi habitación a oír unos discos. No te importa, ¿verdad? No armaremos jaleo, tranquila. ¿Los conoces a todos? Bien; vamos, chicos.

Subieron al dormitorio de John como una pequeña tormenta silenciosa, y se acomodaron como pudieron: Eric Griffiths en la cama, Pete Shotton en el suelo, con la espalda apoyada en la pared, Colin Hanson en la única silla, sentado al revés. John colocó el primer disco en el aparato.

—¿Dices que esto es nuevo, lo último? —se burló de

pronto Hanson recogiendo la funda vacía—. ¡Aquí dice mil novecientos cincuenta y tres, hace dos años!

John no le contestó, y hasta Hanson cerró la boca atrapado por la mágica y brutal violencia del sonido que saltó al aire desde el altavoz. Un cúmulo de armonías fuertes, incisivas, viscerales, que surgían de una voz extraordinaria, envuelta en una instrumentación vital, escueta pero rebosante de energía, los dominó.

El *Hound dog* de Big Mama Thornton los elevó a un clímax musical jamás soñado por ellos.

# 7

¿ERA posible que los recuerdos de los primeros días de vida, incluso del mismo momento de nacer, quedasen grabados en la memoria lo mismo que un eco cincelado en la piedra estática del pasado?

Si no era así, ¿por qué aquel temor?

Un trueno semejante al que le había despertado hizo retumbar los cristales de la ventana. La luz de un relámpago dibujó un millón de siluetas en la habitación. Cada forma inmóvil se convirtió en un fondo oscuro y cambiante, impreciso en su dimensión. Sentado en la cama, agitado por el brusco despertar, John intentó serenarse.

—Es ridículo —dijo en voz alta.

Los alemanes bombardeaban Liverpool al nacer él. Una maldición. Un lamento. La muerte de decenas de seres en el instante en que él salía del vientre materno y hendía el aire con su primer vagido. Aquellas mismas bombas podían haber caído sobre el hospital, en el pabellón de Maternidad.

Accionó el interruptor de la luz.

El reloj marcaba las dos, todavía las primeras horas de la madrugada del viernes nueve de diciembre. Tendría problemas en el colegio por la mañana si no tenía los cinco sentidos bien alerta a la hora de la batalla. El odiado Elías Pinkerton se la había jurado. Era un combate desigual, y con toda la ventaja para el profesor.

Nueve de diciembre.

El nueve.

Siempre su número de la suerte, o su símbolo maldito. Nada de extraño. Quedaban dos semanas para la Navidad, y deseaba que transcurriesen muy rápidamente. Una inmolación del presente en el altar del futuro. Conocía los motivos y fingía ignorarlos, aunque en la soledad, su eterna, constante y densa soledad, cargada de sensaciones, no podía engañarse.

La habitación estaba llena de objetos queridos que le colmaron de paz, por encima de la intranquilidad que experimentó al despertar. Su guitarra, su tocadiscos, sus maravillosas adquisiciones, y los libros, los banderines, recuerdos y fotografías del equipo de fútbol, la silla, la mesita, los dibujos.

Los poemas, canciones, o como se llamasen.

Se dejó caer hacia atrás, cerró los ojos, pero mantuvo la luz encendida. Si pudiese escoger los sueños, las historias con las que compartir el inútil tiempo del descanso... Le gustaba soñar, porque la libertad de su imaginación poseía un embriagador hechizo. Cada sueño era la anarquía de la mente, la revolucionaria rebelión de su inconformismo. Sus ideas se escapaban de todo marco.

Soñar...

Los rayos eran las luces de un escenario, en Londres, y los truenos el retumbar de los altavoces. La lluvia, el murmullo del público, y el fluir de la vida, los aplausos.

Y en el ojo del huracán, él, John Lennon, cantando.

Un trueno más fuerte que los demás. El Mersey bajaría lleno al día siguiente. Tormenta en la bahía, en el mar de Irlanda. Los barcos danzando en mitad de la tempestad. Dos semanas para Navidad. El maldito Pinkerton. Otro trueno. Los alemanes ya no bombardeaban.

El escenario. El sueño. La noche.

—¿Dónde estáis? —le preguntó al silencio.

Ahogó su angustia y apagó la luz. Los Kentucky Minstrels cantaron en algún lugar de su mente mientras su padre y su madre bailaban suavemente, sin dejar de reír.

# 8

—¡Lennon!

Rayo y trueno se confundieron en su cabeza, al contrario que la noche anterior. Fijó la vista en un punto inmediato y buscó una serenidad que no encontró para ponerse en pie y aparentar un pleno dominio de sus actos. Lamentablemente, los reflejos le fallaron.

—Sí, señor Pinkerton.

—¿Puede repetir de la forma más sucinta, clara y comprensible de que sea usted capaz lo que acabo de decir?

Griffiths estaba a su lado, pero su breve y rápida mirada en solicitud de ayuda tropezó con la gélida impotencia de su compañero. Llevaba una bufanda alrededor del cuello y le goteaba la nariz. Elías Pinkerton se acercaba por el pasillo, flotando sobre las puntas de sus zapatos. Sus atributos docentes —su vestimenta— aleteaban a su alrededor como la capa de un vampiro, brillantes por lo gastado de sus hechuras, negros como el presagio de la muerte. La sonrisa que disimulaba la dureza de sus ojos era la pantalla sin reflejo que dignificaba la inmensidad de su poder. Se detuvo frente a él, y esperó aliado con el silencio.

John buscó una salida en aquel vacío insondable.

—Estoy esperando, Lennon —se impacientó Elías Pinkerton.

—¿Shakespeare, señor?

Hablaba a menudo de Shakespeare. Bueno, el profesor Pinkerton le llamaba Sir William, Maestro, Divino, Inmortal... A su juicio, el mundo de las letras se dividía en dos partes: Inglaterra y los demás. Y en Inglaterra trazaba otra frontera peculiar: Shakespeare y un montón de aprendices. Shakespeare era la orquesta, batuta incluida, y el resto, el vulgo.

—¿Qué parte de Shakespeare, Lennon?

—No he seguido sus últimas palabras, señor. Me... me he quedado colgado en una de sus frases. Estaba pensando en ella porque me ha impresionado.

—¿Qué frase?

Elías Pinkerton resultaba empalagoso. Cuanto más empalago, mayor podía ser el estallido de su violencia, la cólera y la ira de su soberbia.

—«Si Shakespeare viviera hoy en día, se negaría a escribir para un mundo que le ha dado la espalda a la verdad.»

El profesor pareció considerar la respuesta.

—Suelo decir eso a menudo, sí, pero para su desgracia no creo que hoy haya tenido ocasión de recordárselo a ustedes.

—Juraría, señor...

—¿Sí, Lennon?

El castigo era inevitable, y tratándose de él, más duro. Castigo por castigo, John empezó a considerar seriamente el placer de merecerlo. Su problema con Pinkerton no tenía ninguna solución. Se convertía día a día en un pugilato. Más aún, los esfuerzos del profesor para ridiculizarle comenzaban a dar sus frutos. Algunos compañeros de clase le perdían el respeto apoyándose en los sucesos que a diario amenazaban su dignidad. John sintió crecer su cólera.

—No sólo escribe pésimas redacciones, Lennon —dijo Elías Pinkerton—, sino que falsea la realidad, hace poemas nefastos y se pasa el día fantaseando estúpidamente. No me extrañaría nada que acabase de payaso en un circo. A veces hasta me pregunto qué piensa realmente de Shakespeare, porque de una cabeza como la suya puedo esperar...

John dejó de mirar al frente. Hundió en Pinkerton sus ojos eternamente tristes, defendidos por las gafas que protegían su miopía.

Toda paciencia tenía su límite.

—La verdad, señor —dijo con suavidad—, yo pienso

que Shakespeare era un folletinero barato que jugaba con la sensibilidad de la gente de su tiempo, y un payaso que se hizo el amo del gran circo en que estaba metido. Claro que es sólo una opinión, y muy personal.

Mientras Elías Pinkerton cambiaba de color, John comprobó sin moverse, sin dejar de mirarle a los ojos, el efecto que sus palabras causaban en los de la clase. Pudo captar sus vibraciones, el caudal de apoyo y admiración. Era la compensación que esperaba.

Pinkerton señaló hacia la puerta.

—Preséntese inmediatamente en dirección, Lennon, y será mejor que repita textualmente este incidente, porque al término de la clase seré yo el que vaya por allí para estar seguro de que lo ha hecho. ¿Me ha comprendido bien?

John no se movió. Su rostro fingió no entender lo que se le pedía.

—¿Por dar una opinión, señor?

—¡Lennon!

—Pienso que si no está de acuerdo con mi punto de vista, tendríamos que discutirlo, razonarlo, como seres civilizados. Según la ley tengo derecho...

—¡Lennon!

Sabía hasta qué punto podía forzar la situación, el límite de la paciencia de Pinkerton. El efecto sobre los demás ya estaba conseguido. Levantó las manos demostrando que iba a obedecer y abandonó su puesto. El silencioso apoyo de la clase le acompañó hasta la puerta del aula. Salió sin mirar hacia atrás.

Y ya en el pasillo se desfondó.

Otra reunión en el despacho de dirección. Otra nota. Otra carta. ¿Qué podía hacer? ¿Por qué le obligaban a entender a los demás y nadie, nadie, le entendía a él?

Ni siquiera se esforzaban.

Una lenta e inexorable oleada de furia le invadió hasta convulsionarle. Estaba al límite de una resistencia que creía fuerte, pero por lo visto se desmoronaba, víctima de los elementos, confabulados todos en contra suya. Se sintió perdido y eso le obligó a entrar en el lavabo, vacío en aquel momento. El espejo le dijo la verdad que más odiaba y lamentaba.

Abrió la puerta de uno de los inodoros y la cerró violentamente.

Entonces golpeó la pared una vez, y otra, con todas sus fuerzas, haciéndose daño, hasta que al apoyar la cabeza en ella consiguió soltar los últimos demonios de su cuerpo gimiendo:

—¿No ven que no soy como ellos? ¿No ven que soy diferente?

Y comenzó a llorar.

# 9

UNA especie de portero-celador-vendedor de entradas y gorila se alzó ante ellos como una pantalla de protección o de rechazo. La puerta de acceso al club desapareció a su espalda.

—Te dije que fuéramos por atrás a ver a mi tío —cuchicheó Shotton al oído de John.

—¿Adónde decís que vais? —preguntó el hombre a los cuatro chicos.

John hizo una seña, apuntando hacia algún lugar situado tras él.

—Adentro, claro.

El hombre no quedó nada convencido.

—¿Adentro?

—Vámonos, Lennon —volvió a susurrar Shotton. Griffiths y Hanson permanecían callados en un segundo plano.

John sacó el dinero de las cuatro entradas.

—La semana pasada no estaba usted aquí, ¿verdad? —dijo con aplomo.

—El que no estuvo por aquí fuiste tú, sinvergüenza. ¿Cuántos años tienes?

—Dieciséis. Todos tenemos dieciséis años.

No le hizo ninguna gracia. Concluyó la conversación.

Dejó pasar a una pareja y con sus manazas impidió que entraran detrás de ella los chicos.

—Venga, largaos de aquí.

—¡Oiga! —gritó John—. No tiene ningún...

—¿Quieres ganarte un sopapo, pequeño?

Shotton tiró de su amigo. Griffiths y Hanson ya estaban fuera. John se vio en la calle, violento, humillado. Apretó los puños, tan impotente como exasperado.

—¿Lo ves, maldita sea? —insistió Shotton—. Por ahí es imposible. Les puede caer una multa por dejar entrar a menores de edad. Anda, vamos por detrás. Seguro que mi tío nos deja entrar por el escenario.

—No será lo mismo —rezongó John.

Nadie le hizo caso. Su tozudez, determinación y fuerza garantizaban en muchas ocasiones el éxito, pero en otras no eran más que pérdidas de energía. Era como golpear contra una pared.

—¿Por qué ha de ser todo siempre como tú lo quieres? —dijo Hanson.

John le miró incrédulo, como si la respuesta fuese evidente.

—No digo que sea lo mejor, pero si no quieres las cosas con vehemencia, y pones toda la carne en el asador para conseguirlas, difícilmente te saldrán a pedir de boca, por tu cara bonita.

Estaban en la parte trasera del club, un callejón mal pavimentado, con piedras gastadas por el uso. Una camioneta aparcada, un carretón roto y unos cubos de basura en torno a los cuales merodeaban algunos gatos, eran los únicos signos de vida. La puerta posterior del local no ofreció ninguna resistencia a su paso.

—Y ahora déjame hablar a mí, ¿de acuerdo? —dijo con firmeza Shotton.

Un hombre les cedió el paso al verlos entrar. Antes de que pudiera enfadarse, el que abría el grupo le sonrió cortésmente y le dijo:

—¿Podría avisar al señor Clarence, por favor?

—Está trabajando. ¿Para qué quieres verle?

—Soy su sobrino, Pete.

El hombre no se quedó muy convencido, pero tampoco tenía razones para echarlos o para poner en duda la palabra del que había hablado. Les ordenó aguardar allí mismo y se fue en dirección opuesta. El ruido del local llegó hasta ellos, y también el de una batería redoblando y el de una guitarra haciendo acordes. Lo tenían tan cerca que los cuatro se miraron nerviosos. El tío Clarence apareció enseguida.

—Pete, ¿qué haces aquí, ha pasado algo? ¿Y quiénes son éstos?

—No nos han dejado entrar por la puerta principal, y queremos ver un poco todo esto. Trabajando tú aquí, he pensado que podrías...

El tío Clarence dirigió una asustada mirada a su alrededor.

—En primer lugar, pueden despedirme, y en segundo lugar, tu tía es capaz de matarme si se entera que has estado en este antro.

—Tío, es importante para nosotros —suplicó Shotton—. Nunca hemos visto tocar a profesionales de verdad, en directo. Por favor.

Tenía que decidirse rápidamente, porque debía volver a las mesas. Pensó que correría más riesgo intentando convencerlos de que se marchasen que dejándolos entrar.

—Está bien, seguidme, pero ¡en silencio!

Enfiló un pasillo. Al otro lado de la pared de la izquierda el murmullo del público y las confusas armonías de los instrumentos acoplándose les indicaron lo cerca que estaban de conseguir su propósito. El tío Clarence abrió una puertecita lateral y les hizo pasar por ella. El escenario quedaba a unos cinco metros de distancia. Un hombrecillo enjuto los contempló con ojillos tristes.

—Harry —le dijo el tío de Pete Shotton—, ¿te importa que vean la actuación desde aquí? Cuando termine, hazlos salir sin hacer ruido.

El tal Harry asintió con la cabeza.

No hubo tiempo para más. Se corrió la cortinita que separaba el minúsculo escenario del resto de la sala y un guitarrista negro pulsó la primera nota de un fuerte *blues*. Bajo y batería se hicieron eco personal del ritmo. Aquel torrente de vitalidad dejó pasmados a los chicos.

# 10

—¡ERA *rhythm & blues!*

—Pero ¡se puede hacer una versión! —exclamó John—. No entiendo cómo no gusta esto mucho más en Inglaterra. Sin embargo, nada es imposible, ¿no lo veis? ¡Y ésos ni siquiera eran conocidos! ¿Cómo deben sonar los importantes de verdad? Para mí ha sido genial, genial.

—Hay que ser negro para tocar así y cantar como lo hacía ése.

—Ellos tienen el ritmo en la sangre —opinó Griffiths dirigiéndose a Hanson—. Todavía no han olvidado los ritos tribales de su origen africano.

—No veo por qué aquí no podemos hacer algo parecido, a la inglesa —dijo John.

—¿Qué quieres decir con eso de «a la inglesa»?

—Lonnie Donegan, por ejemplo. No me diréis que es malo. Puede tomarse cualquier tema de *rhythm & blues* y adaptarlo, reforzar la melodía, quitarle un poco de rudeza; bueno, ya sabéis, poner aquí y quitar allá.

—Lennon, ¿de qué estás hablando?

—¡De hacer música! ¿Es que no lo veis? A todos nos chifla, y todos hemos sentido algo viendo esa actuación, ¿no es cierto?

Se miraron entre sí. Shotton tiritó. Le alcanzó una corriente helada, el primer asalto del frío de la noche. Por las calles apenas si discurrían las últimas sombras fugaces de los traseúntes que regresaban a sus hogares, a la paz de fuegos y cenas tardías. Hanson se puso bien la bufanda y Griffiths hundió más las manos en los bolsillos de su gruesa chaqueta. John era el único que parecía no tener frío. Los ojos le brillaban, movía las manos cada vez que hablaba, expresión de su vehemencia incontenible, rebosante de energía, igual que si la actuación en el club hubiese cargado su batería.

—Los que tocaban esta noche eran muy mayores. Tenían al menos veinticinco o treinta años. Hay que ir al conservatorio para ser músico. Es una carrera como otra cualquiera.

—¡No me vengas con...!

Shotton se detuvo. Su calle comenzaba allí.

—Bueno, hasta mañana —se despidió—, si no me despellejan en casa por llegar tan tarde.

John le vio alejarse, cabizbajo. Hanson y Griffiths se apartaron de su lado unos metros más allá, en la siguiente esquina.

—¿No ha sido algo extraordinario? —les preguntó cuando la distancia que los separaba desdibujaba ya sus siluetas.

—¡Fantástico! —reconoció Colin Hanson.

—Un sueño inalcanzable —apostilló Eric Griffiths.

John se quedó solo, indeciso, en un cruce de calles solitario y barrido por el viento y las primeras gotas de lluvia de una noche que prometía ser heladora. Cuando reemprendió la marcha, iba tocando una hipotética guitarra, marcando perfectamente el juego de las manos.

—Ba...da... dur-dur-hu... ba-ba —cantó, al mismo tiempo que con la púa pulsaba las cuerdas de la guitarra.

La calle desapareció, el viento fue un murmullo de voces admiradas, y la llovizna, el sudor que le caía por la frente. El mundo entero se convirtió en un inmenso escenario, casi tan inmenso como su ilusión y su fantasía.

La noche se lo tragó sin que dejara de tocar y cantar en voz baja.

# 11

EL *Atlanta* vertía la carga de sus entrañas en el muelle de Coburg. Las altas grúas y los hombres diminutos extraían de su abierta panza el tesoro transportado a través de los mares. En algún lugar del puerto seguramente aguardaba otra mercancía, que sería cargada en las entrañas de acero del barco en las siguientes horas. El sabor marinero de Liverpool se manifestaba de forma extraordinaria en aquellos momentos, en el muelle de Coburg o en cualquiera de los otros: Brunswick, Queen's, Salthouse, Albert, Morphet, Wallasey. Un Liverpool abierto a su mar mucho más que a la tierra a la que pertenecía, cara al océano antes que a Inglaterra. El río Mersey y el puerto eran la clave de no pocas respuestas.

Ninguna ciudad era como Liverpool.

Aunque eso John todavía no lo supiese.

—Oiga, oiga, ¿es usted americano?

—Déjame en paz, chico.

—No, escuche, espere; quiero comprar discos. ¿Lleva usted discos para vender?

El marinero se detuvo y le miró de arriba abajo sin tomárselo muy en serio. Señaló hacia el barco.

—Pregúntale a Halloran, está a punto de bajar —le dijo como de pasada—. Es uno que va de azul y tiene una cicatriz en la mejilla derecha.

—Gracias.

El primero se alejó, con paso decidido, como si supiese perfectamente adónde ir en una ciudad extraña, aunque para un viejo lobo de mar podía no serlo. John miró interesadísimo hacia la pasarela del barco. Dos hombres descendían por ella en aquel momento, y uno iba de azul. No le vio la cicatriz hasta que lo tuvo a menos de cinco metros.

—¿Es usted Halloran? —preguntó.

Los dos hombres se detuvieron. Uno de ellos era negro, fornido.

—¿Te envía Maggie?

—No. Un compañero suyo que acaba de bajar me ha dicho que tal vez tuviese discos para vender.

—Traigo algunos discos, sí —afirmó el tal Halloran—, pero son encargos y compromisos, así que...

—¿Qué clase de música es la que quieres? —preguntó curioso el negro.

—*Rhythm & blues*, ya sabe, todo lo que está saliendo en América.

—*Rock and roll*, ¿no?

—¿Por qué?

—Porque el *rock and roll* es lo que está pegando fuerte ahora, y es más blanco que el *rhythm and blues*.

—He leído algo de eso, del *rock and roll* quiero decir, pero por lo visto no es más que *country & western*, ¿no?

El negro y Halloran intercambiaron una sonrisa.

—El chico sabe un poco de qué va todo eso —aseguró el primero.

—¿Cómo te llamas?

—John Lennon.

—Está bien, John —dijo Halloran—. No puedo darte lo que llevo porque, de verdad, lo tengo comprometido, pero si vienes mañana por aquí, supongamos a esta hora, puedo ver lo que tengo en el petate. Seguro que llegaremos a un acuerdo. ¿Te parece bien a esta hora?

—Mañana es lunes y a esta hora estaré en el colegio.

—¿Más tarde?

—Prefiero madrugar.

Halloran hizo un gesto de extrañeza.

—¡Vaya! Debe de gustarte mucho la música.

—¿Hay alguien más en su barco que tenga discos y quiera venderlos?

—He oído decir que Curtis negocia con eso —manifestó el negro dirigiéndose a su compañero.

Halloran asintió con la cabeza.

—Tú procura ser puntual, ¿de acuerdo, John?

El muchacho tenía el rostro iluminado.

—¡Por supuesto, vaya si lo seré, y gracias!

Los dos hombres se alejaron en dirección a la calle Sefton, pero él continuó escrutando el puerto, a la espera de otros marineros y de otras oportunidades. Tenía todo el domingo por delante.

# 12

ESTABAN en el otro extremo del patio de recreo, rodeándole, dándole palmadas en la espalda. Formaban un grupo curioso, distinto de los demás, igual que una mancha borrosa y desigual en mitad de un horizonte de indiferencia. Las cabezas bajas delataban un sentimiento de soledad y abatimiento. Una muda y amarga solidaridad, inútil pero cálida, los aislaba del resto. John se dijo que tenía que estar allí, pero no pudo moverse.

Había algunas cosas superiores a sus fuerzas.

Matthew Hellis fue hacia él. Los demás se apartaron. Discretamente los dejaron solos. Con sus palmadas cariñosas en la espalda habían agotado su capacidad de expresión de simpatía y consuelo. Por lo general los alumnos de distintos cursos no se relacionaban entre sí, aunque los de cursos inferiores buscasen siempre la amistad o la protección de alguno de un curso superior. Matthew Hellis iba dos cursos por detrás de John. Tenía trece años.

John le había salvado de una paliza, medio año antes, al salir en su defensa. Desde entonces Hellis mostró una adoración completa hacia él, y John, por encima del orgullo que buscaba un liderazgo entre sus compañeros, se encontró a sí mismo apreciando y respetando a su nuevo amigo, igual que al hermano que nunca tuvo y tal vez, sólo tal vez, desease a veces.

Matthew Hellis se apartó del grupo. John no supo qué actitud tomar.

La vulnerabilidad le asustaba.

Por esta razón disimulaba siempre sus sentimientos, sus emociones, todo lo que le hacía sentirse débil. Débil en un mundo que, le constaba, no admitía a los débiles.

Un mundo que glorificaba únicamente a los triunfadores.

Al menos, según lo entendía él.

—Lennon.

—Hola, Hellis.

Los ojos del más pequeño tenían el brillo de unas lágrimas ocultas, aprisionadas por la voluntad, detenidas por un rescoldo de fortaleza que se debilitaba por momentos. John sintió una multitud de miradas fijas en él. No se movió.

—Me... me voy ya —dijo Hellis.

De alguna forma se vio a sí mismo, y también a su padre, Alfred Lennon, y a su abuelo Jack; tres generaciones unidas en él, en su tiempo y en su espacio. El padre de Matthew acababa de morir. Su madre falleció en la guerra, en uno de los primeros bombardeos.

Ahora no tenía a nadie.

Ni siquiera una tía Mimi a la que acudir.

—Dicen que es un buen lugar, un colegio bastante bueno. Te escribiré.

No pronunciaron la palabra «orfanato». Era un término prohibido.

—Dentro de un par de años podrás encontrar un trabajo y responsabilizarte de tu propia vida, ya lo verás —aseguró John.

—No sé qué tal lo pasaré —suspiró Matthew.

Su amigo advirtió su progresivo hundimiento. Era la soledad total. Perder a su padre y perder la libertad. Cualquiera podía enloquecer con menos motivos.

—No dejes que nadie te diga lo que debes hacer y conseguirás que te respeten.

Los ojos de Hellis buscaron un apoyo que John no podía darle.

—¿Cómo es un lugar así?

Lennon miró al suelo.

—No lo sé, de verdad, aunque no será mejor ni peor que otros.

—Tú deberías saberlo, ¿no? Quiero decir que tu padre...

Unos gritos estentóreos que celebraban un gol nublaron su cielo, descargando una tormenta de sombras sobre sus pensamientos. La vida continuaba. Las manos que segundos antes habían palmeado la espalda del caído se afanaban ya en otras actividades, recuperando el pulso y la ilusión. La fatalidad había pasado cerca, pero se iba, se alejaba con Matthew Hellis. El destino ahogaba al perdedor. Un accidente. Una desgracia. Una fatalidad.

John Lennon le pasó un brazo por los hombros.

Matthew Hellis captó la intensidad y el hondo significado de aquel gesto.

—Tengo miedo, Lennon —reconoció.

¿Y quién no? Su padre, él, orfanato, soledad. ¿Y quién no?

—Supongo que hay momentos en la vida en los que no podemos hacer gran cosa. Anda, ven.

Se alejaron del juego, luchando sin saberlo contra lo que parecía ser peor: la ciega y fantasmal certeza de que jamás volverían a verse, y que aquél era su último instante de amistad.

Un hecho demasiado duro y negativo para ser asumido por cualquiera de los dos.


# 13


ERA verdad. Jack Lennon había cantado en los Kentucky Minstrels, pero su muerte, en 1917, quedaba tan lejos de aquel diciembre de 1955 como la Tierra de la Luna. Matthew Hellis le dijo que él tenía que saber lo que era un orfanato, y no era así. Lo ignoraba.

A pesar de que su padre pasó diez años en uno.

Una sorprendente cadena de casualidades, a modo de signos indelebles que los unían, generación tras generación.

—¿Estaremos sometidos al hado? —exclamó—. ¡La maldición de los Lennon!

Alfred Lennon fue a parar a un orfanato cuando tenía cinco años. Él, John Lennon, vio por última vez a su padre también a los cinco años. Alfred Lennon no tuvo elección. Él sí. Pudo acompañarle a Nueva Zelanda. La decisión de toda una vida, pasado, presente y futuro, en manos de una respuesta pronunciada a una edad absurda. Ningún Lennon parecía haber ejercido bien de padre. Ningún Lennon mostraba el suficiente sedentarismo como para arropar a una familia con amor. ¿Por qué? Su madre nunca le había explicado por qué se rompió su matrimonio. ¿Es que no lo sabía? Y si tanto ella como él desconocían el principio y final de su amor, ¿por qué se casaron y por qué se separaron?

Lo poco que conocía, como hijo único de una pareja rota, era lo que tía Mimi podía contarle, o quería contarle. Su padre ingresó a los cinco años en un orfanato y permaneció allí hasta los quince. ¿Y su abuela? Silencio. Alfred Lennon no tenía a nadie. En 1927 se enfrentó al mundo, y once años después entró en la vida de Julia Stanley, con la que se casó en 1938. Una breve felicidad que pasaba por el estallido de la guerra. Cuatro o cinco meses después de que Alemania invadiera Polonia y los gobiernos de Inglaterra y Francia declarasen abiertas las hostilidades, en una noche de invierno del nuevo y doloroso año de 1940, su padre y su madre le habían engendrado. Una curiosa forma de verlo e imaginarlo. John intuía en sueños algo parecido a una habitación pequeña, un frío glacial, y un amor incontenible. Pero esto podía ser más un deseo que una realidad. A los nueve meses su presencia marcaba lo esencial: que Alfred Lennon y Julia Stanley no pasarían de vacío por un mundo que se les manifestaba hostil.

Luego, en 1942, su padre abandonó a su madre. La dejó sola, sin dinero y sin recursos. Una mujer, en plena guerra, con un niño de año y medio de edad. El destino; una maldición que hace forjarse ilusiones para luego matarlas a la vuelta de la esquina. Julia Stanley tuvo que decidir: o su hijo John o ella misma. La decisión, terrible pero realista, fue impulsada por la necesidad. Con un hijo no lograría atravesar los desiertos del aislamiento. Sola aún tenía alguna oportunidad. John fue a parar a manos de tía Mimi, la hermana de su madre. Y con períodos de tiempo cada vez más largos y menos estables, ella regresaba a Liverpool para ver a un hijo que apenas la conocía y ejercer de algo que no sentía: de madre.

En 1945, la sorpresa.

El regreso de Alfred Lennon.

No hubo posibilidad de reconstruir un hogar, ni corazón para desearlo. La única alternativa seguía siendo

John, y a él le quedó el peso de la decisión: quedarse con su madre en Inglaterra, o marcharse con su padre a Nueva Zelanda.

Cinco años a los que se exigía una respuesta de tal compromiso.

Y escogió Inglaterra, su madre desconocida, su tía Mimi. Alfred Lennon desapareció para siempre, o tal vez no. De la misma forma que aguardaba las irregulares visitas de su madre, seguía confiando que un día, en el puerto, un hombre le dijese: «Hola, John, soy tu padre». ¿Podía quererle a pesar de todo, o era una ilusión, una necesidad producida por la curiosidad? Bien, ¿acaso no quería con locura a su madre, y ella no era más que una imagen que aparecía y se desvanecía igual que una nube en el cielo? Si había amado a Julia sin sentirla parte de sí mismo, ¿por qué no amar a un padre que ni siquiera conocía?

¿Qué clase de sentimientos eran aquellos?

Bajo su ventana vio pasar a los Hopkins, con sus cuatro hijos debidamente amparados, protegidos y de la mano. Daban una cierta impresión de agobio, pero al mismo tiempo la dulce y paciente señora Hopkins ofrecía la pomposa seguridad materna, con su oronda silueta y su inmensa humanidad rebosando paciencia, ternura, amor.

John desconocía todo aquello.

Curiosamente defendía a su madre. No podía culparla. Se había visto empujada a hacer cuanto hizo. Quererla representaba una deuda, un pago, su propio compromiso. Y la posibilidad de facilitarle la paz interior.

¿Por qué no pensar que, en el fondo, todos eran fuertes, los tres?

Fuertes para vencer.

Los Hopkins se alejaron. John pensó en Matthew Hellis y tuvo que superar un asomo de debilidad. En su mente nació una promesa espontánea, imprevista, pero pura ciento por ciento:

—Si algún día tengo un hijo, nunca lo abandonaré. La maldición de los Lennon acabará conmigo.

Se sintió mejor después de habérselo prometido.

# 14

HARVEY Mosley estaba en el curso superior. No era un compañero de fiar, y se rumoreaba que al menos en dos ocasiones había tenido problemas con la policía. Ahora, con un brazo sujetaba a una muchacha, Charlotte, por la cintura, como demostrando su derecho o estar allí y a exhibir su propiedad. John le vio acercarse poniéndose en guardia. No existía el menor síntoma de animadversión entre ellos, pero un chico mayor acompañado de una novia a la que impresionar siempre era peligroso.

—Lennon, ven aquí.

No se movió. No dio un solo paso hacia él. Harvey Mosley fue el que se aproximó, mascando chicle.

—¿Qué tal? —le preguntó amigable.

John se relajó. Charlotte hizo un globo con su chicle.

—Bien.

—Oye, he oído decir que buscas discos americanos, cosas raras de las que no se encuentran por las tiendas y todo eso. ¿Es cierto?

—Sí, ¿por qué?

Mosley se apoyó en la pared, arrastrando en su movimiento a la muchacha.

—Yo tengo discos de esos que buscas —manifestó—, y tendré más dentro de un par de días, cuando llegue Navidad.

—¿De dónde los sacas?

El muchacho fingió indiferencia al decir:

—Mi madre está liada con un americano, de cuando la guerra, y él siempre trae discos. Esperamos su barco para hoy o mañana.

—¿Son tuyos los discos?

Harvey Mosley perdió su complaciente sonrisa.

—¡Eh! ¿A ti qué más te da? Yo tengo algo que tú quieres y tú puede que tengas pasta, que es lo que yo necesito. Voy detrás de una motocicleta, ¿sabes? Tú dirás si estás interesado.

—¿Son buenos discos?

—¿No te fías de mí?

—De ti, sí, pero no de tus gustos —sonrió John.

—¿Tan loco estás por la música, Lennon?

—Tanto como tú por las motos.

Harvey Mosley soltó una carcajada e intentó besar a Charlotte. Un nuevo globo de chiche proyectado entre los dos por los labios de la muchacha se lo impidió.

—No me digas que también vas a formar un conjunto —le espetó.

—Tal vez. Tengo una guitarra.

—Estáis todos locos —rezongó Mosley—. Tengo dos primos metidos también en eso de la música, y mi hermano pequeño no habla de otra cosa. ¡Vais a ser un enjambre!

—Siempre quedan los buenos al final —dijo John—. ¿Cuándo nos vemos para ver lo que tienes?

—Yo tengo bastantes discos. ¿Tienes tú bastante dinero?

—¿Cuándo?

—Después de Navidad, el veintisiete o el veintiocho, ¿vale? Así ya tendré todo el lote y tú quizá hayas cobrado los aguinaldos.

Se dieron la mano y John pensó que tenía sólo cuatro o cinco días para conseguir un poco de dinero. De todas formas, no perdió la sonrisa hasta que le dio la espalda a Mosley y se alejó de la pareja.

# 15

NAVIDAD.

No le gustaba la Navidad.

Se despertaban en él demasiados recuerdos y demasiadas sensaciones que no podía controlar. Eran los peores días del año. La radio vertía cantidades ingentes de canciones hogareñas y no se hacía más que hablar de paz y amor en familia. Su única familia consistía en tía Mimi y sus primos y primas, Michael, David, Julia y Leila.

Su madre no daba señales de vida, y faltando dos días...

Dobló la esquina de su casa. Dos días para Navidad. El principal problema era de dónde sacar dinero para Mosley, un buen pico para comprarle los discos o el suficiente para darle un primer plazo y negociar el resto. La imagen de Matthew Hellis le vino a la memoria.

De hecho, no conseguía apartarlo de ella.

¿Cómo sería la Navidad en un orfanato? No bastaba con haber enterrado a su padre, sino que para su amigo ese recuerdo se iba a convertir en un doble dolor. Muerte, vacío, separación y un confinamiento que abocaba a la soledad. La vida tenía muchas facetas injustas. La suya era una. La de Matthew otra, probablemente peor.

A él ya no le quedaba ninguna esperanza.

Se sintió deprimido. Siendo realista, la vida no le ofrecía un perfil maravilloso para el futuro más inmediato. No tenía dinero para hacerse con los discos de Mosley, su padre era un recuerdo perdido diez años atrás, y su madre acabaría llamando por teléfono, excusándose, diciendo que no podía ir a Liverpool. Tal vez en primavera...

¿Por qué no?

Odiaba resignarse, pero no tenía otro camino. Golpear paredes tenía un mucho de furia y un tanto de rebeldía estúpida. No servía para nada. Al diablo con todo. Se metería en su habitación con la guitarra y tocaría tan fuerte como pudiese. Tan fuerte como las cuerdas resistiesen y su voz alcanzase. Tan...

La puerta de su casa estaba abierta. Las voces llegaban hasta él, pese a la distancia. Voces contagiosas, gritos de alegría, risas. No vio la maleta hasta que entró por la cancela del jardincito.

Entonces echó a correr, precipitándose hacia la entrada que, de pronto, se convertía en la antesala del paraíso.

A pesar de todo...

—¡Mamá! ¡Mamá!

Julia Stanley se tambaleó cuando John se arrojó en sus brazos.

En alguna parte de la casa la radio emitía un alegre villancico.

*Quarrymen*
*1956*

# 16

No podía dominarse. Su cuerpo vibraba, preso de una energía incontenible, que cosquilleaba sus nervios y llegaba a cada partícula de su ser. Shotton, Hanson y Griffiths no recordaban haberle visto jamás así.

—Pero es que es ¡absolutamente fantástico! ¿No lo habéis oído? Se llamaba Bill Haley, y su grupo Los Cometas. ¡Están en el número uno con esa canción! —y comenzó a cantar *Rock alrededor del reloj*.

—A mí la que me gusta es *Rock island line,* de Lonnie Donegan. Eso es puro *skiffle* —dijo Griffiths.

—Y también está en el número uno —agregó Hanson.

—¡Es una buena canción! —saltó John—. Pero ¡no tiene nada que ver! Es como si se hablasen dos lenguas distintas. Haley hace *rock and roll*, y el *rock and roll* es el futuro. ¿No decíais que los blancos no podíamos hacer *rhythm & blues*, y menos aquí, en Inglaterra? ¡Pues ya tenéis la respuesta: el *rock!*

—Eso no será más que una moda pasajera, ya sabes, como el *swing* y todo lo demás —auguró Shotton.

—¡Te equivocas! —intentaba hacerse entender por los tres, gesticulando vivamente con sus manos. Lo he estado leyendo en estas vacaciones de Navidad, porque el amigo de la madre de Mosley le trajo algunas publicaciones americanas y me las prestó cuando le compré los discos. Han unido el *rhythm & blues* negro y el *country & western* blanco y de ahí ha nacido el *rock and roll*. ¿Habéis oído hablar de Chuck Berry? Tengo un disco que se llama *Maybellene* que es sensacional. ¿Y de Little Richard? Cuando os ponga *Tutti frutti* vais a dar saltos. ¡No tiene nada que ver con lo que se ha hecho hasta ahora, y lo graban tres o cuatro músicos, con guitarras y batería! No sé qué casa discográfica acaba de lanzar a un tal Presley ahora mismo diciendo que es el nuevo Sinatra. De verdad, creedme, ¡está pasando!

Shotton, Griffiths y Hanson retrocedieron, aturdidos por aquel alud. En tres semanas Lennon había cambiado.

No era el mismo. Tratándose del primer día de clase del trimestre, aquel derroche de energía no era natural.

—¿Vino tu madre? —le preguntó Griffiths.

—Claro que vino. ¿Por qué? Era Navidad, ¿no?

—Sólo era una pregunta.

—Pensáis que estoy loco, ¿verdad? —suspiró sin ocultar su amargura—. Creéis que me ha dado una de mis neuras.

—Reconoce que te dan fuerte cuando te vienen —advirtió Hanson.

—Hace un año recuerda que... —comenzó a decir Shotton.

John los interrumpió, sin hacer caso de sus palabras.

—Estoy hablando en serio. Hace un año éramos unos críos, y creo que hemos madurado bastante desde entonces. Veamos, ¿no nos gusta a los cuatro la música?

—Sí —respondieron al unísono los otros tres.

—Entonces, ¿de qué diablos discutimos? Debemos de parecer bobos. Esta tarde os pondré *Tutti frutti, Maybellene, Shake rattle and roll* y todas las demás. Hay que estar muerto para no dar saltos.

—Está bien, está bien; suponemos que tienes razón, como siempre, pero ¿qué tiene que ver todo esto, tu excitación, con nosotros?

John miró a Eric Griffiths. Su pasmo era total.

El pasillo central de la Quarry Bank High School iba vaciándose a medida que los alumnos entraban en las respectivas aulas. El timbre iba a sonar de un momento a otro.

—¿Me preguntas en serio qué estoy intentando deciros? —gritó.

Shotton, Griffiths y Hanson se pusieron súbitamente firmes. Sus ojos se quedaron clavados en una figura que estaba detrás de su compañero. Lennon apenas si tuvo tiempo de advertir el peligro, víctima de su loco entusiasmo. Unos dedos de hierro aprisionaron su oreja.

—Tal vez Shakespeare descansara un poco mejor en su tumba sin sus gritos, Lennon —dijo la voz de Elías Pinkerton—. Y por supuesto se sentiría mucho mejor su memoria si algunos le hicieran un poco más de justicia.

John se dobló, vencido por el dolor. El garfio que atenazaba su oreja aumentó la presión. Shotton, Griffiths y Hanson entraron en el aula.

—Los dos sabemos que la indudable pérdida de tiempo que sufrimos va a continuar, ¿no es cierto, Lennon? —siguió el profesor—. ¿O dejará de ser el bufón de la clase, privándonos a todos de su primitiva ignorancia?

Hizo un movimiento, aun a riesgo de perder la oreja, y consiguió zafarse. El dolor llegó a todas sus terminaciones nerviosas. Elías Pinkerton no dejó de avanzar, y cuando John retrocedió, viéndose obligado a entrar en el aula de espaldas, el murmullo de sonrisas que cubrió la escena le dolió todavía más que su lastimada oreja.

—Buenos días, pequeños genios —saludó falsamente jovial el profesor—, y bienvenidos de nuevo a vuestra única esperanza de futuro.

# 17

—VUESTRA única esperanza de futuro —dijo John, imitando la voz de Elías Pinkerton—. Lo habéis oído, ¿no?

Los otros tres miraron alrededor, buscando a alguien entre las sombras.

—¡No grites tanto! ¿Quieres que te oiga él o alguno de los que siempre le bailan el agua y le vaya con el cuento?

John no les hizo caso.

—¿Veis ahora lo que intentaba deciros antes?

—No —reconoció Griffiths.

—¿Qué esperas hacer tú cuando te gradúes aquí?

A Eric Griffiths le sorprendió la pregunta.

—Y yo qué sé.

—¿Nunca has pensado en ello? —le insistió John.

—Supongo que trabajar.

—¿Y vosotros? —se dirigió a los otros dos.

—Mi padre quiere que siga estudiando, pero a mí no me convence mucho la idea —convino Shotton.

—Yo me meteré en el negocio de la familia, no tengo otra opción —dijo Hanson.

—Y luego, ¿qué?

No le entendieron. John estaba serio. La exultante vitalidad de primera hora había quedado enterrada por la amargura de la primera clase con Pinkerton. Ahora sus ojos, ocultos detrás de los cristales de las gafas, ofrecían una reflexiva serenidad. No recordaban haberle visto de aquella forma.

—¿Qué quieres decir?

—La pregunta es muy clara —dijo John—: Luego, ¿qué? Mirad bien lo que nos rodea. Esto es Liverpool. No es Londres, ni mucho menos Nueva York. Es Liverpool. ¿Os dice algo esta palabra? Nosotros mismos, ¿qué somos? Vivimos bien, con cierta decencia, pero ¿qué? Os voy a decir algo: lo que me parece que me ofrece el destino no me gusta. Y sé que puedo cambiarlo.

—¿Tiene algo que ver con tu entusiasmo de esta mañana? —preguntó Hanson.

—Vamos a formar un conjunto musical.

—Ser músico o artista de cine formaba parte de sus sueños. La rotundidad de las palabras de John, sin embargo, los dejó como atontados.

—¿Qué vamos a ser?

—Nos llamaremos Los Quarrymen —aseguró su compañero, con la misma decisión.

—¿De qué estás hablando, Lennon? ¡Tú estás loco!

—¡No, no estoy loco! —respondió John, nuevamente inspirado—. Los cuatro sabemos tocar un poco la guitarra, nos gusta la música, y somos amigos. No digo que vaya a ser fácil, y será más duro al comienzo, pero cuanto antes empecemos, mejor, porque el momento es ahora, ¡ahora mismo! ¿No veis que el mundo está cambiando a nuestro alrededor? La música es el vehículo. ¡No podemos dejar pasar esta oportunidad!

—Los Quarrymen —silbó admirativamente Griffiths.

—Un momento —quiso razonar Hanson—. Tenemos cuatro guitarras viejas, y yo ni siquiera sé un par de acordes. ¿No te parece un poco ilusorio...?

—Tú tocarás la batería, los tambores.

—¿De dónde sacaremos los instrumentos?

—Los conseguiremos.

—¿Y el dinero?

—También lo conseguiremos. Hay tiendas de compraventa, con buen material de segunda o tercera mano. Sólo hemos de proponérnoslo. Nada nos detendrá.

—A mí, desde luego, mi padre —señaló Shotton—. Odia la música.

John los miró a todos con intensidad. Los conocía bien. No había hecho más que regar una semilla muy oculta. Cuantas mayores fuesen las dificultades, mayor sería el empeño para vencerlas.

—La mitad de los chicos de Liverpool están enloqueciendo con la música, y lo sabéis. Los muy buenos, o los primeros, o ambos a la vez, serán los que consigan algo. Sólo puedo deciros que voy a hacerlo, con o sin vosotros.

—¿Y quién nos hará caso?

—Toquemos bien, Shotton, y hagamos buenas canciones. El resto vendrá por sí solo.

Eric Griffiths era el que siempre secundaba en primer lugar a su amigo.

—Los Quarrymen —repitió por segunda vez.

—Y haremos *rock and roll*, antes que nadie —insistió John—. *Rock* con gotas de *rhythm & blues*, *skiffle* y lo que haga falta, hasta dar con el estilo que mejor nos vaya. ¿Qué decís a eso?

Hanson se unió a la sonrisa de Griffiths. Pete Shotton fue el último en darse cuenta de la verdad.

El mundo estaba cambiando.

O eran ellos, y ni siquiera tenían plena conciencia del fenómeno.

—Bienvenidos a Los Quarrymen —anunció solemnemente John Lennon.

# 18

—¿**P**REPARADOS? ¿Listos?... Un, dos, tres y... ¡ya!

La mano de John se abatió sobre las cuerdas, llenando el ámbito del cobertizo con los primeros acordes. El acople con la guitarra de Griffiths creó una falsa sensación de eco mientras Colin Hanson daba sus primeros golpes en el único tambor de su mal llamada batería, compuesta por ese tambor y un platillo. Pete Shotton no tuvo paciencia para terminar aquella babel de sonidos.

—Fantástico —dijo—. Si un día hemos de ser famosos, quizá debiéramos registrar estos primeros intentos.

—Sinatra, Crosby y los demás, ¿empezaron así? —se burló Griffiths.

—Ésos son cantantes —sentenció John sin secundar la resignada autocensura de sus compañeros—. Ellos no tenían más que abrir la boca. Esto, en cambio, es distinto: nosotros formamos un grupo. Vamos a tocar y a cantar. Si nos salía bien uno por uno, ha de salirnos bien ahora, tocando todos juntos. ¿Preparados?

Hanson agarró firmemente los palillos.

—¡Listos! —ordenó John.

Repitieron la entrada. El efecto fue el mismo, pero ahora nadie se detuvo. Sus manos parecían automatizadas, fijas en las guitarras, apretando cada cuerda con escasa soltura, para no perder la armonía ni romper el ritmo. Cambiar de posición sobre los trastes requería una enorme concentración y, al hacerlo, olvidaron la precisión de la mano derecha.

—¡Maldita sea! —protestó Griffiths.

—Tardaremos un mes o dos —los animó John—, pero lo lograremos.

—Parecía fácil por separado —suspiró Shotton.

—¿Quién dijo que el *skiffle* era muy sencillo?

—Sólo se emplean cuatro de las seis cuerdas de la guitarra, ¿qué más quieres?

—Vamos a probar dejando que Shotton y Hanson introduzcan primero la base rítmica —sugirió John—. Luego entra tú, Griffiths.

Lo hicieron así. Luego fue John en solitario el que abrió el tema para arrastrar a los otros tres. Volvieron a probar al alimón. Dos horas más tarde les dolían las manos y un desaliento general dominaba a Shotton, Hanson y Griffiths. Ninguno de ellos se sumaba al entusiasmo de su líder.

—En un mes tendremos un repertorio, ya lo veréis. ¿Os apostáis algo a que en la fiesta de primavera de la escuela actuamos en serio?

—¡John, tú estás...!

—Ahora *Rock island line*, venga: ésta es más sencilla.

Comenzó a cantar y a tocar al mismo tiempo. Una magia surgía de su sonrisa, y sus ojillos, empequeñecidos tras las gafas, despidieron el destello de una fe inquebrantable. Colin Hanson fue el primero en seguirle, marcando un sencillo cuatro por cuatro, aunque ni siquiera sabía que se llamaba así. Pete Shotton se unió a ellos y, finalmente, Eric Griffiths. John cambió un pasaje de la letra y les cantó:

—Así, así, no os detengáis; seguid, pase lo que pase. Somos Los Quarrymen. Señoras y señores: de Liverpool a la fama.

Y continuaron ensayando.

# 19

JULIA Stanley, en otro tiempo Julia Lennon, hizo un gesto de cansancio: se pasó la mano derecha por los ojos y, al retirarla, se señalaron todavía más las grandes bolsas bajo ellos. Fijó en su hijo su mirada brillante y entreabrió la boca en un gesto medio bobalicón, medio de incapacidad. John sabía que en otro tiempo había sido muy bella, o tal vez no, aunque a él le parecía que sí.

¿De dónde venía? ¿Adónde iba al marcharse? Una nube en su firmamento, blanca unas veces, negra y amenazadora otras.

—¿Haces esto como reclamo? —le preguntó ella—. Quiero decir que si utilizas la escuela como castigo, para obligarme a venir más a menudo.

John frunció el ceño.

—No, mamá —aseguró.

—¿Es un no consciente? Puede que ni tú mismo sepas que lo haces.

Tía Mimi asomó la cabeza por la puerta. La retiró con celeridad. El muchacho imaginó que permanecía oculta al otro lado, sufriendo, como siempre que una adversidad se cruzaba en el camino de la familia.

—Las notas no tienen nada que ver contigo, de verdad.

—Sé que no soy una buena madre —suspiró la mujer, resentida consigo misma—, y que no he llenado la ausencia de tu padre. Sin embargo, quiero que sepas que...

—No, mamá, por favor.

Julia Stanley buscó los ojos de su hijo.

—Nunca hemos hablado de ello, y quizá fuese necesario.

—Me gustaría que pasaras más tiempo aquí conmigo —dijo John—, pero eso no tiene que ver con las calificaciones. Es más, comprendo que tengas que trabajar y seguir tu propia vida. Algún día será diferente, ¿no es así?

—¿Y cómo esperas que llegue ese día, si no aprovechas ahora la oportunidad? El director de tu escuela asegura que eres inteligente, muy inteligente. ¿Qué te pasa?

John miró por la ventana. La primavera se abría paso,

con la desesperación de la rutina y el entusiasmo de la vida entre los parterres, gritando en silencio el advenimiento de su dimensión, forjando la palabra indeleble de su grandioso mensaje natural. Odiaba una reunión como aquélla. Se sentía como la víctima inocente, el culpable de nada.

Su madre estaba allí por él, pero no como lo quería él.

—Me graduaré, no te preocupes.

—¿Y después?

Ésa era la pregunta a la que no quería responder. Tampoco podía hacerlo. A pesar de ello nunca le había mentido a su madre, ni necesitaba fingir o buscar falsos valores para enfrentarse a la verdad. Julia Stanley le forzó al límite al preguntar:

—¿Hay algo que te interese o te preocupe de veras?

—La música —contestó el muchacho sin vacilar.

Ella hizo con la cabeza unos gestos afirmativos muy ostensibles, para hacer ver que comprendía perfectamente.

—¡Sí! —dijo luego—. Ya he oído eso.

John se acercó a su madre y se sentó a su lado. Habló con su voz tanto como con sus manos, con vehemencia.

—Mamá, no quiero ser estibador ni marino, ni tampoco comerciante o... qué sé yo, oficinista. Hay algo, algo que no puedo explicar, dentro de mí, y necesito encontrarlo, saber que existe, para estar seguro de que lo que hago vale la pena. La música es lo único que ahora mismo me permite buscarlo, ir sacando lo que guardo dentro.

—Tus profesores...

—¡Ellos no saben quién soy! —protestó—. ¿Cómo van a conocerme? Me hablan de Shakespeare y del pasado, y pretenden que le dé la espalda a la realidad del presente. Shakespeare utilizó su lengua y su entorno para desarrollar su concepción artística. ¿Por qué no puedo hacer yo lo mismo? La gente de hoy habla de una forma, se expresa y se comunica mediante otras fórmulas, ¡y son válidas! La música es la voz de nuestro siglo.

Su madre pareció escucharle, pero sin entenderle. Se asomaba más a su propio interior que al de su hijo.

—¡Se diría que hay tantos vacíos que nos separan y nos unen a la vez...!

—Mamá, es posible que estudie arte cuando acabe en la escuela, no lo sé, pero sea como sea no pienso abandonar la música, y si es eso lo que vas a acabar pidiéndome, será mejor que no lo hagas. Nunca había estado tan seguro de nada en la vida.

Julia Stanley tuvo un estremecimiento.

—¿Qué te pasa? —preguntó John.

Ella pasó una mano por su cabeza, revolviéndole el pelo.

—Por un instante he visto en ti a tu padre.

No sabía si lo que había visto en él era el lado bueno o el malo de su padre, ni quiso saberlo. Se inclinó para abrazarla, y cuando sus cuerpos se fundieron en uno, los dos supieron que formaban parte de un mismo calor íntimo, aquilatado, separado por la distancia y la brevedad de sus encuentros, que hacían de oasis de delicioso descanso. Y les eran suficientes. El silencio y la impenetrabilidad se rompían en la catarsis de los reencuentros.

Y cada encuentro reavivaba la hoguera del amor y aplacaba el hielo del distanciamiento. Los muros defensivos del aislamiento se cuarteaban, hasta quedar reducidos al polvo de la nada. De esa nada estaban hechos los dos y se veían obligados a comunicarse a través de ella.

—¿Cuánto te quedarás esta vez, mamá?

Julia Stanley no le contestó. Sus débiles brazos intentaron una mayor presión en torno al cuerpo de su hijo.

En esa presión estaba la respuesta.

Cuanto más fuerte, más angustiosa.

# 20

—¡HALLORAN!

El marinero agitó una mano al verle. John echó a correr hacia él.

—¿Has estado haciendo guardia todo este tiempo? ¿Cómo sabías que llegaba hoy?

John estrechó su mano.

—El periódico anunciaba el atraque para hoy. De todas formas, el práctico del puerto me lo ha confirmado esta mañana. ¿Los traes?

Halloran soltó una risotada.

—No estaba seguro de que hablases en serio la otra vez, ¿sabes? Me decía: ese chico está mal de la cabeza.

—¿No los has traído? —preguntó John preocupado.

—Espera, yo no he dicho eso —le tranquilizó el marinero—. Me diste el dinero por anticipado, ¿no? ¿Por quién me tomas? Claro que los traigo: los que me pediste y algunos más.

John miró el petate.

—¡Fantástico! —dijo emocionado.

Caminaron juntos, alejándose del muelle. Nadie reparó en ellos, salvo una anciana que dirigió a Halloran una mirada acusatoria y murmuró vagas palabras en torno a la guerra, la locura humana y la infelicidad de los chicos y chicas surgidos del producto de aquella locura. Halloran se metió en el primer bar que encontraron, una taberna en la que las pintas de cerveza desaparecían con pasmosa facilidad.

—¿Quieres tomar algo? Te invito.

El tabernero se adelantó a recordarle a John que, siendo menor, no podía beber alcohol.

—Un refresco, gracias —aceptó el muchacho.

Se sentaron en una mesa con sus respectivas bebidas, y por fin el marinero abrió su petate, dispuesto a satisfacer la avidez de su acompañante. Depositó sobre la mesa dos docenas de discos. John tembló de emoción al verlos.

—Todo lo que me pediste, y hay que estar loco por la

música —reconoció Halloran—, tanto como debo estarlo yo por hacer de mensajero. ¡Menudo liante eres, amigo!

No podía creerlo. Todos los discos de Elvis Presley, y las novedades de Chuck Berry y Little Richard. Acarició las cubiertas y las contempló una por una. Un tesoro inédito, aunque sólo fuese por unos días. Los auténticos originales americanos.

—Ese tipo —dijo Halloran señalando a Elvis Presley— se está convirtiendo en el amo. Has sabido escoger muy bien. Hay una canción que se llama *Heartbreak hotel* que ha sido número uno y lleva vendidos no sé cuántos millones de discos.

—*Heartbreak hotel, Mystery train, That's all right, mama, Good rockin' tonight* —leyó John—. Podremos ensayarlas y cantarlas antes que los demás. Esto es formidable.

Halloran terminó su pinta de cerveza. Hizo un gesto y se levantó para encargar una segunda. John le contempló con admiración.

—Debo de tener un chico como tú en alguna parte —musitó con evidente melancolía.

—¿Dónde?

Se arrepintió enseguida de haber dicho aquello, porque cortó la pregunta de John con un gesto de indiferente cansancio. Luego agregó:

—Siento dejar este barco y esta línea, porque me gustaba esto.

—¿Qué quieres decir?

—Pues que me han metido en otro barco y que Dios sabe cuándo volveré a Inglaterra. Cosas de mi trabajo. De todas formas, no te preocupes por tus discos. Hablaré con Mulligan o con Cohen. Lo de los discos se está convirtiendo en el primer producto de contrabando aquí, en Liverpool. No eres tú solo el que está loco. La mayoría baja a tierra y los vende en las tiendas, así que tener un comprador fijo como tú les interesará.

John apiló los discos, y dejó de prestarles atención.

—No me preocupaba por los discos —dijo—. En realidad pensaba más en nuestra amistad.

Halloran dejó la cerveza. Miró con atención un largo rato el rostro del muchacho y acabó golpeándole con su puño cerrado, cariñosa aunque fuertemente, en su hombro.

—Mi chico se llamaba Norman. ¿Tienes hermanos?

# 21

GEOFFREY Lawson arrojó el avión de papel en el instante en que Elías Pinkerton daba la vuelta y se situaba de espaldas a ellos, cara al encerado. No llegó a escribir nada, porque el murmullo de risas mal contenidas le hizo reaccionar. Volvió la cabeza en el preciso momento en que John se apoderaba del avión, recién aterrizado encima de su libro.

Profesor y alumno se miraron con intensidad.

Aunque no de la misma forma.

—Lennon —dijo suavemente Pinkerton—. La escuela aeronáutica le cae un poco lejos de aquí.

Bajó el estradillo ocupado por su mesa y caminó sin prisa por el pasillo lateral hasta la octava fila, donde estaba su alumno predilecto. El avión de papel era un pájaro muerto, con la punta arrugada por el impacto, caído boca arriba. John se fijó en los brillos del gastado traje de Elías Pinkerton, mal disimulados por su tradicional toga negra. Quiso adivinar el brillo de cada doblez, la erosión de lo cotidiano en una vida sin resonancias de eternidad, tan vulgar como la ropa del protagonista de esa vida.

Nunca había notado antes esto, y se sorprendió al hacerlo ahora, al límite de una situación crítica. ¿Quién era Elías Pinkerton fuera de la Quarry Bank High School? ¿Adónde iba a pasar sus horas de infinita monotonía? Intentó imaginárselo bebiendo cerveza como Halloran el marinero y no pudo, pero tampoco logró verle en su casa, en una falsa imagen intelectual, devorando a su maldito Shakespeare.

¿Y por qué no una mujer que amargase sus horas de libertad, de la misma forma que él se las amargaba a ellos?

Pese a la gravedad del momento, no pudo reprimir una leve sonrisa, apenas perceptible, aunque Pinkerton fue consciente de ella. Geoffrey Lawson estaba muy pálido, dos bancos más adelante. John supo que Geoffrey no tenía madera de héroe.

Una vez más, estaban solos. Elías Pinkerton y él.

—De pie, Lennon.

Los ojos del profesor revelaban una profunda amargura, y sus cuencas parecían túneles en los que se hundían a la búsqueda de una paz inexistente. Sin saber cómo ni por qué, John sintió pena por él, una lástima profunda.

Pinkerton estaba atrapado.

Ya no podía salir de su círculo, su trampa.

—Extienda la mano.

Las imágenes, los sentimientos que le sorprendieron inexplicablemente en aquella tensa situación, desaparecieron. Extender la mano, y lo que seguía a continuación, era el límite de lo aguantable, en una escuela como aquélla o tratándose de un hombre como su profesor.

John no se movió.

—¿Debo repetírselo? —sugirió Pinkerton.

Pete Shotton, Eric Griffiths y Colin Hanson le dirigieron una horrorizada mirada. Los tres pensaron y sintieron lo mismo que su amigo. John encontró en ellos el apoyo que, aparentemente, no podían darle.

La fiesta de la tarde, el gran concierto de su debut.

—No, por favor, la mano no.

Era la primera vez que suplicaba, que empleaba términos como *por favor* o dejaba ver su miedo. Hasta Elías Pinkerton se sorprendió. Sus ojos destilaron una amargura fría, palpable, casi viscosa.

—No es necesario que sea la derecha, Lennon —apuntó—. No quiero excusas que le impidan trabajar. Usted no es zurdo, ¿verdad? Será mejor que extienda la izquierda.

La certeza de que Pinkerton sabía lo de la actuación se hizo evidente en sus reflejos. Sintió las miradas de Shotton, Griffiths y Hanson, todavía más penetrantes, destacando por encima de las del resto de la clase, todos con él, pero, al mismo tiempo, mudos testigos de la injusticia. La mano derecha era importante para tocar la guitarra, pero la izquierda era esencial. Si los dedos estaban magullados y carecían de sensibilidad...

Elías Pinkerton contempló la mano, abierta.

—Los dedos hacia arriba.

Iba a negarse, a rebelarse, pero un nuevo viaje a la dirección bien podría ser el último. Pensó en su madre y en la promesa hecha unos días antes. Los dedos hacia arriba.

El golpe de la regla en la palma de la mano dolía, y sin embargo era una caricia comparado con lo otro.

Unió los dedos, los índices en alto.

La regla salió de la espalda de Pinkerton, donde permanecía eternamente oculta. Pasó de la mano izquierda a la mano derecha y se elevó con marcada lentitud. John estuvo a punto de cerrar los ojos, pero los hundió aún más en el hombre que iba a castigarle por nada. Elías Pinkerton leyó el desafío, y una fracción de segundo antes de que su mano descendiese a toda velocidad, sus mandíbulas se apretaron convulsivamente.

Fue un golpe seco, un chasquido característico.

Y tras él... nada.

Silencio.

—¿No llora nunca, Lennon? —preguntó con suave acritud el verdugo.

John no respondió.

Hizo un gesto negativo con la cabeza, gesto que mantuvo hasta que Pinkerton giró sobre sus talones y regresó al estrado.

# 22

SE sentían desolados, aplastados. Su psicología de adolescentes había perdido totalmente el equilibrio, hundidos en un desaliento total. La mano izquierda de John centraba las miradas de todos, como si se tratase de un pájaro querido y muerto, incapaz para siempre de romper con su quilla el silencio del espacio.

—Se está hinchando —dijo Shotton.

—No digas bobadas —le recriminó Griffiths—. Está exactamente igual que hace diez minutos.

—¿Todavía te duele? —preguntó Hanson.

John movió los dedos torpemente.

—Cómo van a dolerme, si ni siquiera los siento.

—A lo mejor, si no dejas de mover los dedos consigues reactivar el flujo sanguíneo lo suficiente como para que podamos tocar.

Las esperanzas de Griffiths chocaron con la frialdad de Hanson y Shotton. John se puso en pie cubriéndolos a todos con una mirada mitad incrédula, mitad molesta.

—Tantos ensayos para nada —dijo Shotton.

—Pero ¿qué estáis diciendo? —gritó John—. Vamos a tocar igual, y lo habríamos hecho aunque Pinkerton me hubiera cortado la mano.

Los otros tres se dieron cuenta de que hablaba en serio. John Lennon siempre hablaba en serio, y lo sabían.

—Tú no puedes tocar con esos dedos.

—Es evidente —aceptó John—, pero por algo formamos un grupo, ¿no? Quiero decir que somos cuatro. Griffiths hará de solista y yo de guitarra rítmica.

—No hemos ensayado nada así —protestó Griffiths.

Algo más que la habitual elocuencia de John se disparó en su interior. Se diría que sus ojos querían salírsele de las órbitas; hinchó el pecho y gritó:

—¡Al diablo los ensayos! Lo importante es que podemos hacerlo, y que vamos a hacerlo. ¿No os dais cuenta? Ningún maldito Pinkerton me va a quitar la primera oportunidad de mi vida. Tal vez sonemos mal, peor que en los ensayos, pero vamos a darles música y a demostrarles que con nosotros no pueden —miró a Shotton, el más pesimista—. Tú mismo lo dijiste, ¿recuerdas? Actuar en esta fiesta nos dará a conocer, y si nos sale bien y nos llaman para otras ocasiones, incluso podemos cobrar un poco de dinero en bailes, *pic-nics* y fiestas. En verano seremos casi profesionales. ¡Y todo comienza hoy!

—Estúpido Lawson —murmuró Hanson.

—¡Al diablo Lawson y Pinkerton! —gritó John—. Tenemos dos horas y podemos conjuntarnos un poco. ¿Vamos a hacerlo o no?

Eric Griffiths fue el primero en contagiarse.

—El espíritu de Los Quarrymen.

—¡Lanzados a la fama! —apoyó John.

—El próximo día Pinkerton te dará en la cabeza —dijo Hanson poniéndose en pie.

—Hasta Pinkerton sabe que la tiene hueca, y más dura que el cemento —afirmó Shotton secundándole.

John disimuló un gesto de dolor al apoyar los dedos de su mano izquierda en los trastes de la guitarra. La derecha acarició las seis cuerdas. Comenzó a cantar *Heartbreak hotel* y, uno a uno, los otros tres se le unieron.

*Ahora, cuando mi chica me ha dejado,*
*he hallado otro lugar donde vivir,*
*al fondo de la calle Soledad,*
*en el hotel del Corazón Roto.*
*Estoy tan solo que podría morirme,*
*y aunque está hasta los topes,*
*siempre hay alguna habitación*
*para que los amantes de corazón roto*
*lloren en la oscuridad...*

# 23

LA lluvia golpeaba contra la cubierta y las paredes del cobertizo, produciendo en su interior un monótono y sordo ruido, como si un millón de pájaros estuviese picoteando por todas partes. La sensación de tristeza y soledad tenía su máxima expresión en John, que tocaba la guitarra apoyado contra una caja de madera, con los ojos cerrados, inmerso en una dulce postración. Al abrirse la puerta, esa magia desapareció. Colin Hanson entró maldiciendo de todo, y el agua que chorreaba de su chubasquero de plástico formó rápidamente un charco a sus pies.

—¿Cómo sigue Griffiths? —le preguntó John.

Hanson se quitó el chubasquero y lo plegó cuidadosamente, depositándolo junto a la puerta, encima de un mueble viejo, recogido en la calle.

—La fiebre comienza a bajarle —dijo.

—Menuda semana —se lamentó John—. ¿Y Shotton?

El batería de Los Quarrymen no respondió. Se acercó a su amigo y se sentó en el suelo, en una zona milagrosamente seca. El silencio y las sombras que dominaban el tono huidizo de sus ojos hizo que John sospechase algo. Dejó de tocar y esperó. Todo era posible en una semana tan mala como aquélla.

Hanson desvió la mirada al notar la intensidad de los ojos de su compañero. Su angustia individual se interpuso entre los dos como un muro impenetrable.

—¿Qué pasa? —insistió John.

—Shotton no vendrá —dijo apesadumbrado Colin Hanson.

—¿Por qué?

—¿Y lo preguntas? Sabes muy bien que su padre no le deja, y que le organizó un lío de mil demonios cuando se enteró de todo esto.

—¡Pero si nos salió bien, mejor de lo que esperábamos!

Hanson continuó con los ojos fijos en el suelo.

—Puede que demasiado bien.

—¿Qué quieres decir? —preguntó John.

—Pues que ahora va en serio: los Quarrymen, todo.

—¡Siempre fue en serio! ¿No pensarías que...? —John dejó de hablar durante unos instantes. Una idea se abrió paso hasta convertirse en el preámbulo de una certeza—. Oye —dijo—. ¿Qué quieres decir con eso de que Shotton no vendrá? Supongo que te refieres a hoy, o a esta semana, hasta que su padre...

Colin Hanson levantó por fin la cabeza.

—No vendrá más, Lennon: se acabó. Deja el grupo, y yo también.

—¿Qué?

—Oh, no me lo hagas más difícil, ¿quieres? Shotton se va y es el momento de ser realistas.

—¿De qué realidad me hablas? ¡Lo estamos consiguiendo! ¿Qué os pasa ahora? Los Quarrymen...

—¡Los Quarrymen eres tú, y tal vez Griffiths, no sé,

pero Shotton no puede seguir, aunque lo desee, y yo no me veo con fuerzas!

—¡Tú eres un buen batería! —protestó John—. Lo estás demostrando en cada ensayo —se detuvo y se puso repentinamente serio—. ¡No te irás con Los Huracanes...!

—No seas estúpido —dijo Hanson—. Me gusta la música, y me entusiasmó tocar en público el otro día, y ver cómo nos aplaudían y cómo nos miraban las chicas. Sí, la música es un buen reclamo. Pero si dentro de unos meses seguimos así y me voy, entonces será peor.

—¡Dios mío! —suspiró John—. ¡Esto se pone cada vez peor! ¿Cómo..., cómo os sustituyo?

—Hay gente en la escuela que está deseando tocar en el grupo, y lo sabes. Angleday es bastante bueno, y Hughes.

—¡Son pésimos! —gritó John—. No puede haber otros Quarrymen que nosotros cuatro.

—Por el barrio también hay gente, y fuera de él. Si algo sobra ahora mismo, es gente que quiera ser estrella del *rock*.

—Hanson...

Dejó de hablar, de buscar la vaguedad, de seguir eludiendo el punto crítico y decisivo de la verdad.

—Lo siento, John —dijo con aire de tristeza resignada.

Una gotera se abrió paso entre las tablas del techo, y las primeras gotas salpicaron a menos de un metro de ellos. John acarició su guitarra igual que si fuese de piel. Los dos formaban el núcleo de una curiosa y extraña relación sentimental, una relación viva y auténtica. Las emociones de uno vibraban en la otra, y las de ésta pasaban al espíritu de él. La música era la sangre, la energía, el vehículo.

—No lo entiendo —suspiró dolorido—. No puedo entenderlo, Hanson.

# 24

LA voz de tía Mimi le hizo disminuir el volumen del tocadiscos.

—¡John, alguien quiere verte!

Se asomó a la puerta. Su tía estaba a mitad de la escalera, un poco sofocada por el trabajo doméstico.

John imaginó que andaría limpiando la plata, o el tapizado de las butacas de la salita.

—¿Quién es?

—¿Puede ser un tal Arnold no-sé-qué?

Conocía a un Arnold Carmichael de la parroquia, y a un Arnold Lester de la escuela. Se encogió de hombros y volvió a entrar en su habitación para apagar el tocadiscos y guardar en su funda el disco que estaba escuchando, para preservarlo del polvo. Salió de nuevo y bajó los escalones de tres en tres, según su costumbre. Su tía se apartó, temerosa hasta del torbellino de aire que levantaba a su paso.

—Está en el jardín —trató de decirle inútilmente, porque su sobrino ya estaba fuera.

Era Arnold Carmichael, el de la parroquia. Tenía un par de años más que él y era algo más alto. Pelirrojo, pecoso, su cara intentaba asomarse entre su pelo encrespado. Al verle, se alegró enormemente y dejó ver sus dos filas de dientes.

—Hola, Lennon —le saludó—. ¿Qué tal andas?

John contempló fascinado la inmensidad de aquella boca, y la irregular distribución de las dos filas de dientes. Estuvo tentado de hacer alguno de sus comentarios mordaces, pero algo le detuvo, un golpe de su instinto. Arnold Carmichael no era de los que iban de visita sin más.

—Andar, ando bien —dijo de todas formas, señalando sus dos piernas.

Carmichael le rió la gracia de una forma un poco forzada.

—He oído decir que tienes un conjunto —comentó en medio de su risa.

—Los Quarrymen.

El visitante se apoyó en la cancela, indolente.

—¿Te interesaría actuar en el *pic-nic* de Woolton? Estamos buscando una banda o algo así para animar la fiesta de la parroquia. Nadie mejor que tú, si quieres hacerlo.

—¿Cuánto?

—El día quince, de este mes de junio, claro.

—No he dicho «cuándo» —recalcó John—, sino «cuánto».

Arnold Carmichael dejó de sonreír.

—Vamos, John —comentó—. Puede ser una oportunidad tan buena para ti como para la parroquia. Un favor mutuo. Además de oír hablar de tu grupo, también he oído decir que estás cambiando los componentes del mismo a cada momento. Eso indica falta de compenetración, y de todas formas tampoco eres un profesional.

—Sonamos bien. ¿No has oído también eso, de pasada?

El pelirrojo se movió inquieto. John intuyó algún apuro por su parte.

—Tendrás refrescos gratis y un buen escenario. El transporte de los instrumentos lo pongo yo. ¿Vale?

Un *pic-nic* en Woolton, uno de los suburbios de Liverpool, no era una actuación en el Empire Theatre, en el centro de la ciudad, pero no estaba mal para continuar el fogueo, actuar frente al público, saborear los primeros aplausos.

Intentó no parecer demasiado entusiasta cuando dijo:

—De acuerdo. Tampoco teníamos nada para ese día.

Y se estrecharon la mano sellando el trato.

# 25

LA nota final de la última canción sobrevoló las cabezas de los asistentes al *pic-nic*, muriendo en un silencio entre el cual volvieron a surgir los gritos de los niños, el murmullo de los que dialogaban y las risas, siempre una luz en medio de las tinieblas, de las muchachas que coqueteaban con los pretendientes que las cercaban. John paseó la mirada por la concurrencia y esperó un asomo de entusiasmo, una petición para que interpretaran otra canción más, un aplauso más fuerte que el del compromiso.

Nada.

Los niños y adolescentes que bailaban o se marcharon o se acercaron al escenario para echar una ojeada al instrumental. Las parejas buscaron la soledad en la primera hora del anochecer. Arnold Carmichael se alejó, hablando acaloradamente al pastor. Las mujeres siguieron comiendo y los hombres bebiendo. El *pic-nic* continuaba y los alrededores de Woolton languidecían.

Comenzó a guardar la guitarra en su funda.

—Hoy ha estado bien —le dijo Eric Griffiths.

—Para el caso que nos han hecho...

—Pero ha estado bien —insistió su amigo.

—¿Vamos a tomar algo? —preguntó el batería.

—¿Vienes? —quiso saber Griffiths.

—Id vosotros.

No esperó a que le echaran en cara su actitud y saltó del entarimado. En realidad sí tenía sed, pero no quería hablar con nadie. Buscaba en la soledad un refugio para sus pensamientos, y nada más. Odiaba las lisonjas gratuitas, las palabras fáciles y las palmadas corteses. Odiaba el cinismo adulto y la hipocresía barata. Habían sonado mal, sin conjunción, pero mejor de lo que todos ellos merecían.

—¿Qué es lo que falla? —rezongó por lo bajo—. ¿Qué, maldita sea?

Las entradas y salidas de nuevos músicos, lo precario de sus instrumentos, la falta de ensayos, especialmente ahora que estaban de exámenes y una mala calificación podía echar al traste todo un buen verano, su edad... Sí, posiblemente esto último fuese lo peor. Nadie los tomaba en serio.

—Pues conmigo no podrán —se juró a sí mismo.

Pensó en recoger su guitarra y desaparecer, aunque eso no fuese justo para los demás. Se detuvo, y entonces vio a Iván Vaughan dirigiéndose hacia él. Iván sí que era un buen amigo, entusiasta y válido, aunque no tuviese el menor oído para la música y aún menos habilidad para tocar un instrumento. Le apreciaba especialmente por su optimismo, esa clase de ánimo que convierte lo difícil en fácil y lo imposible en viable. Seguía sin querer hablar con nadie, pero no podía herir a Vaughan.

—¡Eh! ¿Dónde te metes? ¿Qué haces aquí tan solo?

—Nada, intentaba...

Iván se lo llevó de un brazo.

—Ven, quiero presentarte a alguien.

Casi le llevó en vilo media docena de metros; al fin pudo pararse y preguntarle:

—Espera, espera, ¿adónde vamos?

—Ya te lo he dicho: quiero presentarte a alguien.

—Iván, por favor —protestó—. Ahora mismo no estoy de humor para nada. ¿No has oído lo mal que hemos estado?

—Tonterías —contestó Vaughan—. Lo que pasa es que eres un perfeccionista, un intelectual barato y un masoquista moral, jamás satisfecho, un contracomplaciente.

—¿Un qué?

—Lo contrario de autocomplaciente, ¿no? —Iván no dejaba de sonreír. Volvió a tirar de él—. No seas memo, que algún día me lo agradecerás. Éste es músico, como tú, aunque no ejerce.

Iba a decirle que no, tajantemente, cuando, sin saber cómo, se encontró frente a un chico de aproximadamente su misma edad, muy atractivo y elegante. John odiaba el atractivo masculino y la elegancia. Prefería algo más a tono con la vida. Liverpool no era Londres, ni Woolton el Palacio de Buckingham. Sin embargo, hubo algo que sí le gustó en el desconocido.

Algo difícil de explicar. Tal vez la intensidad de su mirada, o la fuerza con que le dio la mano.

71

—John —dijo Iván Vaughan—, éste es Paul, Paul McCartney.

# 26

—No lo hacéis mal, ¿sabes? Quiero decir que no he visto muchos grupos como el tuyo, y eso que Liverpool está lleno.

—Ha sido una pésima actuación —confesó John.

—Sí, eso sí —convino el desconocido Paul McCartney—, pero una cosa es ser malo y hacerlo fatal, y otra es ser bueno y no tener demasiada práctica. Tú eres muy bueno, y la voz..., la voz tiene fuerza.

Caminaban hacia el entarimado del escenario, sin prisa, y solos, puesto que Iván Vaughan los había dejado unos cinco minutos antes, al encuentro de una amiga. John se detuvo.

—¿Lo dices en serio?

—Claro que lo digo en serio. No soy uno de esos lameculos que le hacen la rosca a cualquiera —aseguró McCartney—. Yo también toco la guitarra, y soy duro conmigo mismo. ¿Conoces *Riot in cell block número nueve?*

—No, ¿quién lo canta?

—Los Coasters. Tiene un pasaje parecido a uno de los temas que has interpretado, y no lo haces bien.

John le miró con cierto respeto. O sabía lo que se decía o estaba loco, marcándose el tanto en sus mismas narices.

—¿Por qué no me lo enseñas? —propuso.

McCartney abrió unos ojos como platos.

—¿Puedo? —balbuceó.

—Claro, ven.

Reemprendieron la marcha en dirección al escenario y subieron a él por detrás. John sacó su guitarra de la funda y se la tendió a su nuevo amigo. Éste la tomó al revés.

—¿Cómo...?

Paul McCartney sonrió. Parecía un conejo simpático.

—Soy zurdo —aclaró—, pero da igual. Mira, ves...

Puso su mano derecha en los trastes y con la izquierda punteó las cuerdas. Una vez, y otra. Cambió el acorde y obtuvo una melodía clara y precisa. No sólo era rápido, sino hábil. John se sintió aún más impresionado. La soltura del sorprendente McCartney no residía únicamente en su facilidad musical. El carácter formaba parte de un todo abierto y versátil, ameno.

—¿Qué tal? Anda, pruébalo tú.

John tomó su guitarra. Se sentía picado, feliz, superada la reciente crisis. Aquel chico no tendría más de quince años y, sin embargo, valía más que todos los de Los Quarrymen juntos, salvo él, por supuesto.

—¿Qué edad tienes? —preguntó curioso.

—Cumplo catorce dentro de tres días.

La sorpresa le traicionó.

—¿Qué?

—¡Bah! Yo no hago mucho caso de la edad. ¿Cuántos tienes tú?

—Quince y medio... Bueno, cumplo los dieciséis en octubre —dijo John.

La admiración apareció ahora en los ojos de Paul McCartney. Las diferencias eran notables. No un año, sino casi dos.

—Claro, por eso tienes tu propio grupo. Yo también formaré uno cuando pueda.

Sostuvieron una mirada de mutuo respeto, hasta que John repitió el acorde recién enseñado por Paul. Se equivocó en el cambio y lo repitió. A la segunda lo consiguió.

—¿Lo ves? Eres realmente bueno.

—No. Tú sí que lo eres. ¿Dónde estudias?

—En el Liverpool Institute High School.

—¿Tocas en algún lado o haces algo por el estilo?

—No.

John sonrió. Le pasó una mano por el hombro y se apoyó en él, con cariño. Se habían tomado una cerveza antes de que Iván Vaughan los dejase solos.

Paul notó que su compañero estaba un tanto mareado.

Sin embargo, su voz fue totalmente sincera al preguntarle:

—Oye, ¿quieres unirte a mi grupo?

Era más de lo que hubiera podido soñar.

—¿Lo dices en serio?

—Tú di que sí y ya eres un Quarrymen —aseguró John.

—¡Sí!

El *pic-nic* de Woolton se había terminado.


# 27


JOHN entró en el cobertizo. Eric Griffiths era el único que se encontraba allí. Ni siquiera se dio cuenta de que estaba guardando su guitarra en la funda, algo insólito antes de comenzar un ensayo. Se sentó encima de la caja que solía servirle de soporte y puso su propia guitarra en posición.

—Griffiths, escucha esto —dijo.

Pulsó las cuerdas con soltura y limpieza, iniciando un fraseado que repitió dos veces, marcando el compás, hasta que comenzó a cantar. Eric Griffiths le escuchó en silencio. John no se detuvo ni un momento, hasta terminar la canción un par de minutos después. Cuando volvió a la realidad, abriendo los ojos, miró a su amigo entusiasmado.

—¿No es genial?

—Muy buena, sí.

—¿Sólo muy buena? —gritó John—. ¡Es lo mejor que hemos compuesto! Hoy mismo la adaptaremos. ¡Es una canción fantástica!

—Lo mismo dijiste ayer de la que trajo Paul, y anteayer.

John dio un salto. Rebosaba de energía.

—¿Te das cuenta de que en dos semanas, desde la llegada de Paul, hemos compuesto más canciones y hemos ensamblado más temas que en todo este año, desde que empezamos a tocar?

—Era lo que necesitabas: un auténtico músico.

John volvió a sentarse. Algo en Griffiths le hizo serenarse. Puso su mano derecha sobre la guitarra y ésta le devolvió un suave eco, una reciprocidad sentimental, lo mismo que una emoción constantemente compartida.

—No estás muy seguro de él, ¿verdad?

—Creo que es muy bueno.

—Pero no estás muy seguro de él —repitió John.

—Él sabe que es bueno; sin embargo, no parece centrarse en la música. Parece más bien jugar con ella, no sé si me explico. ¿Lo entiendes tú? Es como si le resultase tan fácil componer, cantar y tocar, que con ello se restase a sí mismo importancia: «No me cuesta nada, así que no debo hacerlo bien» o «Me sale solo, así que no tendrá ningún mérito».

—Le falta madurar, como hemos hecho nosotros en este año. Acaba de cumplir los catorce. ¿Recuerdas cuando los pasamos tú y yo? A mí me parece ahora como un sarampión. Fue una época insegura.

—McCartney es especial —opinó Griffiths—; creo que se parece a ti, y por eso me voy más tranquilo.

John vio la funda de la guitarra y el brazo de su amigo sujetándola. Estaba tan lleno de entusiasmo con la última canción compuesta por Paul y por él, que no había reparado en ninguno de los movimientos del otro. La imagen de Colin Hanson y Pete Shotton le vino como un huracán a la memoria.

—Eric —dijo lentamente.

Por defecto escolar y costumbre solían llamarse siempre por el apellido. Raramente utilizaban el nombre. Aquélla era una ocasión especial.

—Los Quarrymen están en el buen camino, John —afirmó Griffiths—. Si consigues que Paul se quede y se centre en el grupo, haréis algo grande. ¿De qué os iba a servir otra guitarra?

—Puedo ocuparme del bajo o hacerlo McCartney. Todavía nos falta...

—No creo que llegue a ser un buen músico —le cortó, lleno de sinceridad—, y hay cosas que me atraen tanto o más. Ahora sé que tú te lo tomas muy en serio, y no sería justo. Si te falta alguien en las próximas actuaciones, no dejes de llamarme, pero será mejor que sigáis sin mí. ¿Sabes? Nunca creí que fuese más que un sueño o una forma de divertirnos.

—¿Tienes miedo por esta razón?

—Supongo que lo que hagamos ahora y en los próximos dos o tres años influirá en el resto de nuestra vida —dijo Griffiths— y, sinceramente, es una responsabilidad demasiado grande. Tú lo tienes claro, pero yo no.

Quiso acudir a un último recurso para cambiar lo inmutable, pero antes de poder volver a hablar, se abrió la puerta del cobertizo. Paul McCartney apareció en la entrada, a contraluz. Traía, como siempre, la gracia inimitable de su figura, sus impecables pantalones y una camisa bien planchada. Su sonrisa y su constante buen humor pusieron luces y campanillas a su voz.

—¡Chicos —dijo—, llevo toda la tarde con una melodía rondando mi cabeza! ¿Qué tal si la ensayamos antes de que se me vaya?

Y comenzó a cantar, venciendo el silencio de los otros dos.

# 28

EL verano del 56 fue... diferente.

Elvis Presley barría en Estados Unidos, grabando disco tras disco, logrando que primero *Heartbreak hotel* y después *Hound dog* o *Don't be cruel* fuesen número uno y diesen el salto al resto de Occidente, casi al resto del mundo. Chuck Berry cantaba *Roll over Beethoven*, Bill Haley su *See you later alligator*, Little Richard estremecía con *Long tall Sally* y Carl Perkins dejaba ver su calidad en *Blue suede shoes*. En Inglaterra los grupos de *skiffle* nacían como las setas en otoño después de las lluvias. Había algunos chicos, como Tommy Steele o Cliff Richard, y en Liverpool la lluvia era mucho más rica, más prolífica. La puerta se hacía más y más grande. Los barcos se encadenaban a las olas. Marineros, canciones, discos.

Y por encima de todo, el mensaje de un nuevo mundo.

Con un lenguaje propio.

El *rock*.

En septiembre nada era igual, aunque pocos lo supieran entonces. John Lennon y Paul McCartney tal vez fuesen los más ajenos, inmersos en su propio universo.

—¿Has leído lo de Presley? ¡Ha sacado nada menos que siete *singles* a la vez!

—¡Y ha actuado en un *show* de televisión ante sesenta millones de personas!

—Paul, deberíamos dejar de componer tanto. A Elvis le escriben las canciones.

—¿Has oído *Money honey? ¿Y Blue moon?* Creo que podría sacar los acordes si...

—¡Tenemos veinte canciones a medio montar!

—Necesitaríamos un buen batería, por lo menos.

—Necesitaríamos...

El verano del 56 fue especial.

Precisamente porque nadie se dio cuenta de que lo era, salvo una pandilla de adolescentes para los cuales, al fin y al cabo, cada día era especial.

# 29

JOHN dejó la guitarra a un lado, casi violentamente, y comprobó la hora por enésima vez. El resto dejó de tocar.

—Ya no vendrá —afirmó Thomas—. Es demasiado tarde.

—¡Venga, John, ensayemos de una vez! Siempre falta uno u otro, ya lo sabes.

—Necesitamos a Paul —dijo con terquedad John. Y el tono de su voz fue conminatorio.

Henry se levantó de la batería.

—¡Vete al diablo, estás insoportable desde hace una semana!

—Yo me iré al diablo, pero tú tendrás que ir a la farmacia de Moore —le desafió John.

—¿A buscarte una aspirina?

—A comprar algo para que deje de sangrarte la nariz.

Henry dio un paso hacia él y fue Thomas el que se interpuso entre los dos, separándolos.

—Vamos, John, por favor.

—Si no se siente cómodo, que se largue. ¡Éste es mi grupo!

Henry tomó su chaqueta. Thomas dejó caer los brazos, abatido.

—Quédate con «tu grupo» —le dijo el batería desde la puerta—. Esto es una completa mierda.

John hizo un nuevo ademán, pero el disidente ya había cerrado la puerta. Thomas bajó la cabeza, abatido.

—¿Por qué siempre has de estropearlo todo? —protestó.

—¿Estropearlo todo yo? —gritó John. Luego, señaló hacia el lugar por el que se acababa de marchar Henry—. ¡Le doy la oportunidad a ese imbécil! ¿Y qué saco en limpio?

—Paul habrá tenido que hacer algo a última hora.

—Siempre es muy puntual, y si no, habría llamado.

Su compañero le miró de hito en hito, más relajado. Tenía un año más que él y medía casi un metro noventa.

Solía ser paciente y reflexivo, un poco lento de reflejos. Ésa era la razón de que nunca entrase a tiempo en los compases. Suplía su falta de habilidad con el bajo derrochando grandes dosis de buena voluntad. Era lo suficiente, por el momento.

—Henry ha dicho una verdad después de todo.

John se plantó ante él.

—¿Ah, sí?

—Estás insoportable desde hace una semana.

—No es cierto.

—Lo es y lo sabes. ¿Es por lo de tu cumpleaños?

—No.

—Tu madre no vino, y apareció hace una semana, pero sólo un par de horas, el día que no viniste tú al ensayo.

—He dicho que no. Oye, ¿estás jugando a psicólogos?

Thomas respiró hondamente.

—No tienes por qué enfadarte conmigo. Te lo digo porque yo también sé lo que es eso. Desde que mi padre y mi madre se divorciaron, ella se casó con el otro y tuvo las gemelas, ya no la veo apenas. De todas formas, pienso que es su vida, ¿no?

John dejó escapar la furia retenida en su sangre.

—Mi tía dice que todo es culpa de la guerra.

—¡Oh, sí! —dijo Thomas, en tono sarcástico—. Ésa es la excusa.

—Nosotros seremos distintos; hemos aprendido la lección.

Suavemente, avanzando entre el silencio, oyeron unos pasos ahogados, discretos y, al mismo tiempo, rápidos y nerviosos. Tía Mimi se asomó a la puerta. Se extrañó al no oír ningún ruido. Se quedó un poco embobada.

—¿Qué pasa, tía?

La buena mujer recordó el motivo de su presencia allí.

—¡Oh, sí! —reaccionó—. Es ese amigo tuyo, Paul Ma... Maca...

—McCartney —la ayudó John.

—Bueno, da igual; está al teléfono. Dice que te pongas.

Siguió los pasos de su tía. Antes de salir, Thomas dijo:

—¿Lo ves, amasijo de nervios?

Llegó a la casa antes que ella y se precipitó al teléfono. Henry se había largado. Otro problema. La hoja del calendario marcaba el miércoles 31 de octubre. Un día que era mejor olvidar. Hablar con Paul solía serenarle. Él era de otra pasta.

—¿Paul? —preguntó—. ¿Qué diablos te ha pasado?

Por el auricular recibió una oleada de silencio.

—Paul, ¿estás ahí?

—John...

Era una voz débil, dolorida y vacía. Parecía llegar de un mundo muy lejano. Quien hablaba era un ser destrozado.

—¿Qué te pasa?

La respuesta tardó unos segundos. Pero cuando llegó a John, lo hizo con la fuerza de un terremoto devastador.

—Es... mi madre —dijo Paul McCartney—. Ha... ha muerto hoy.

# 30

JOHN pasó el dedo índice por su cuello. La corbata le apretaba demasiado; odiaba aquel traje, que le daba aspecto de oficinista de la City o de enano bien vestido. La voz del pastor se abría paso entre los asistentes al sepelio. Quería ser consuelo, acicate e invitación a ahondar en el sentido de la vida y de la muerte.

—Nuestra querida hermana Mary Patricia, tempranamente llamada al lado del Señor...

Paul McCartney y su hermano Michael, un año y medio más pequeño que él, estaban junto a su padre, Jim. Era la primera vez que John veía al padre de Paul, y tenía curiosidad por conocerle. En los años treinta había formado una banda de música, la Jim Mac's Jazz Band, un conjunto bastante popular en los pequeños clubes y locales de baile de Liverpool. Paul siempre hablaba muy bien de su padre.

Y John le envidiaba por ello.

Ahora, sin embargo...

—... con el amor de los aquí presentes, conmovidos por un pérdida que no es sino el paréntesis de la muerte ante la resurrección que un día deberá unirnos nuevamente...

Bajaron el féretro a la tierra, acompañado por el gemido de las dos poleas mal engrasadas. John, que odiaba todo ruido inarmónico, las miró sintiéndose incómodo. Sólo la música valía la pena, tanto en la vida como en la muerte. No tenía sentido realizar aquel corto y último viaje acompañado del chirriar de unos hierros. Finalmente el ataúd llegó al fondo del rectángulo abierto en la tierra y las cuerdas fueron recuperadas. El pastor bendijo de nuevo el féretro.

Después, Jim McCartney arrojó un puñado de tierra.

Paul y Michael hicieron lo mismo.

Al volver la comitiva en dirección a los coches, mientras los enterradores echaban una tras otra las paladas de tierra que cubrirían el ataúd con una espesa capa, Paul se acercó a John. Los dos se abrazaron, participando en un sentimiento que sólo ellos dos podían compartir.

—¿Lo ves? —dijo Paul—. Tú aún tienes a la tuya, aunque no la veas más que de tarde en tarde.

—¿Qué edad tenía? —quiso saber John.

—Cuarenta y siete años.

John tuvo un estremecimiento; y no fue por el hecho de concienciarse de la juventud de Mary Patricia McCartney, sino por haberse sentido invadido por un tropel de confusos fantasmas, los suyos particulares, que de pronto invadieron su cerebro llenándoselo de miedos: Jack Lennon, Alfred Lennon, Julia Stanley, su tío George, muerto también de repente unos años antes, Matthew Hellis...

—¿Qué hará tu padre?

—¿Qué quieres decir? —preguntó extrañado Paul.

—¿No irá a meteros a ti y a tu hermano en un orfanato, o a llevaros a otra parte, con alguna tía, ya sabes?

—Toda mi familia está aquí —le tranquilizó Paul.

La gente se metía en los coches, pasando antes por el saludo de rigor al viudo, que resistía el final de la ceremonia con estoicismo. Jim McCartney parecía ausente, ensimismado, dolorido, pero digno, ajeno a los pésames. Era su esposa; había muerto su razón de ser.

—Tienes un padre estupendo —dijo John—. ¿Por qué dejó de tocar?

—La guerra, el matrimonio... Eran otros tiempos, y se hacía otra música. No era necesario grabar discos ni pelear por los números uno en los *rankings* de popularidad. ¿Sabías que formó su primer grupo a los diecisiete años, tocando *ragtime?*

—No.

—Yo le llevo tres años de ventaja —observó Paul.

Jim McCartney le hizo una seña a su hijo. John pasó el brazo por encima de sus hombros, acompañándole. La pregunta que más le quemaba acabó de salir al exterior.

—¿Seguirás en el grupo?

—Claro —contestó Paul—. ¿Por qué?

—Nunca te has tomado la música en serio —dijo con mucha cautela John—. A veces pienso que para ti todavía es un juego. Y ahora esto.

—La música me gusta —aseguró Paul razonando su respuesta—, pero entre los años que me quedan de escuela y... bueno, pueden pasar tantas cosas... Intento ser realista, y no hacerme ilusiones.

—Pon toda la carne en el asador, como he hecho yo.

Paul miró hacia la tumba de su madre, casi cubierta por entero por la tierra que sería su compañera. Luego fue a juntarse con su padre y su hermano Michael. Cuando ya estaba cerca de ellos, dijo:

—No sé, John. No sé.

Ya no volvieron a hablar. Los ojos de Paul se llenaron de lágrimas.

# 31

$E$L perfil de una Navidad.

¿Cómo sería la rutina de estos días en un hogar normal? Faltando una semana para la Navidad, cualquiera puede imaginarse los preparativos: el árbol, los regalos, los detalles finales de la gran celebración, con asistencia de los abuelos, algún pariente lejano...

La Navidad del año anterior se salvó casi *in extremis* con la aparición de su madre.

Eso había sido un año antes.

Este año se repetía la misma incertidumbre, agravada por el peso de las últimas semanas. Los Quarrymen parados, prácticamente inexistentes, y Paul oculto en el luto de su casa.

Ya era demasiado.

Apagó la radio, que ni siquiera ponía los discos de moda y se ceñía en sus programas con rigor al espíritu navideño, y bajó indiferente la escalera de la casa. Estaba solo, solo en una horrible tarde de domingo, con tía Mimi visitando a su primo David, enfermo de gripe. ¿De qué servía intentar componer algo si nadie iba a ensayarlo y mucho menos tocarlo? ¿De qué servía fingir entusiasmo? Una lóbrega depresión le señalaba el camino del fin.

Salió al jardín, blanco por la nevada que caía fina y persistente, y de forma mecánica encaminó sus pasos hacia la parte posterior, al cobertizo que se alzaba como un fantasma arropado en su propio silencio. John se preguntó si iba allí por puro masoquismo.

Algo no había funcionado, pero ¿qué?

Paseó una triste mirada por las paredes cubiertas de carteles: Elvis Presley, los Platters, Bill Haley, Fats Domino, Frankie Lymon y los Teenagers, Bill Doggett, Carl Perkins... El nombre de su grupo destacaba al fondo, formado por grandes letras pintadas de blanco: Los Quarrymen. Era el contraste, el sueño frente a la realidad.

Nadie oiría hablar jamás de Los Quarrymen.

Era un hijo de Liverpool, uno más en la cordada, aspirando a conquistar las cimas de la gloria.

La nieve amortiguó un ruido, un leve crujido. Pensó que su tía acababa de regresar, pero la puerta del cobertizo se abrió y por ella entró Paul.

Paul McCartney.

—¡John!

Se le echó encima, aprovechando la sorpresa, sin dejar la funda y la guitarra que sostenía con su mano izquierda. John tuvo un ramalazo de frío, algo hermoso que inmediatamente le comunicó la reacción contraria, calor. Paul se separó de él.

—¡Mira qué maravilla! —exclamó.

Abrió la funda y sacó una guitarra completamente nueva, la mejor de las que se exhibían en los escaparates de McGregor & Son, el más importante almacén de instrumentos musicales de Liverpool: era una Gibson eléctrica, de cuerpo sólido, modelo Les Paul.

John la sostuvo en sus manos, absorto, temiendo incluso moverla.

—¿No te parece fantástica? —repitió Paul—. Ha sido el regalo de mi padre. Acaba de dármela.

John le miró perplejo. Por encima de la guitarra, lo importante era que su amigo estaba allí.

—Pero ¿qué...?

—Traigo un montón de canciones nuevas a medio terminar —le interrumpió Paul—. A unas les falta un toque en la letra y a otras una mano en la música.

John seguía estupefacto. Se dejó caer hacia atrás, sentándose en su cajón.

—Llevaba un mes y medio sin saber de ti. ¿De dónde sales?

—¿Le has dado mi puesto a otro? —bromeó Paul.

—No seas burro. ¿Qué ha pasado?

—Nada, salvo que tenías razón.

—¿En qué?

—En todo —señaló a su alrededor—: la música, nosotros, Los Quarrymen, saber lo que uno quiere, cuándo lo quiere y por qué lo quiere, todo. La música es algo por lo que vale la pena arriesgarse.

—¿Lo dices en serio?

Paul McCartney puso las dos manos en los hombros de

su amigo. Una luz especial brotaba de sus ojos, y su rostro aniñado era en aquellos momentos la imagen de la firmeza.

—Mi madre no tenía más que cuarenta y siete años, ¿sabes? Estuve dándole vueltas a eso, y pensando mucho en mi padre, en lo que hizo cuando formó su primera banda, y luego pensé en muchas más cosas. La verdad es que no sé dónde podemos llegar, pero sí sé que vale la pena intentarlo. Ahora es el momento, nuestro momento. Y no habrá otro.

John pensó en el espíritu de la Navidad.

Muerto hacía unos minutos.

Resucitado y más fuerte que nunca en este instante.

—Vamos a conseguirlo, Paul. Te aseguro que vamos a conseguirlo.

—¡Lennon y McCartney! —dijo Paul.

—McCartney y Lennon.

Volvieron a abrazarse, aprisionando la deslumbrante guitarra entre sus cuerpos. En el exterior, la nevada arreció, pero allí dentro el entusiasmo había hecho subir la temperatura muchos grados.

Lennon y McCartney.

Está dicho todo.

*Julia*
*1957*

# 32

DIERON vueltas, curioseando frente a la entrada, tratando de atisbar lo que sucedía dentro, hasta que un hombre se plantó en la puerta y los miró con cara de pocos amigos. Hacía frío y prefería estar a resguardo y no a la intemperie. Al ver que ninguno de ellos se movía ni parecía preocuparse por su presencia, se sintió molesto.

—¿Qué hacéis ahí? ¡Largo!

John dio un paso hacia adelante.

—La calle no es suya.

—No seas maleducado, chico, o te voy a calentar las orejas.

Paul tiró de su compañero.

—Anda, vámonos.

—Tengo dieciséis años y si quiero puedo entrar, ¿no?

El hombre señaló a Paul McCartney.

—Tú tendrás los dieciséis, pero ése no llega ni a quince, así que ya os estáis marchando. Si pretendéis colaros...

Un chico y una chica de unos dieciocho años entraron en el local, pasando junto al gorila, que se apartó sonriente al verlos. Sus voces se perdieron en la oscuridad inmediata.

—Creo que es un buen grupo.

—Y el local tiene buena pinta.

John y Paul los contemplaron con envidia. En la parte superior de la puerta, de ladrillos vistos, lo mismo que el resto de la fachada, el letrero brillaba con la impronta de la novedad, el sello de lo recién puesto y estrenado. Una magia especial lo envolvía.

The Cavern.

A un lado, un cartel anunciaba el acontecimiento: «Hoy, miércoles 16 de enero, inauguración - Alan Styner presenta The Cavern - Actuación de Rory Storm ß The Hurricanes».

Paul acabó tirando de John, y los dos se alejaron calle Mathew abajo. Una ráfaga de viento les hizo buscar instintivamente el abrigo de las casas. Por detrás, el bullicio que envolvía a The Cavern los siguió como una sombra.

—Ése será un buen local, ya lo verás —dijo John—. Mi tía me ha dicho que antes esto era un almacén de vinos.

—Algún día actuaremos ahí, no te preocupes.

John asintió con la cabeza. Su entusiasmo se veía a veces desbordado por el del propio Paul.

—No sé. A veces pienso que algo nos falla, que perdemos el tiempo. Pienso que llevo mucho intentando tocar, y en sólo un año casi toda la gente que conozco anda ya haciendo música. Fui de los primeros en saber que algo estaba pasando, y que aún pasarían más cosas, y ya ves: nuevos clubes, un enjambre de grupos que ni conozco y que suenan mejor que nosotros, con instrumentos nuevos, acomodando a su medida las canciones de éxito.

—Esto es la fiebre del *rock and roll* —afirmó Paul—. Cuando pase la primera locura, quedarán los auténticos, los buenos de verdad.

John se detuvo. Volvió la cabeza mirando por última vez el local antes de doblar la esquina. Se sintió molesto, enfadado por algo que le quemaba muy dentro.

—Tendríamos que hacer cosas más en serio, además de componer nuestras propias canciones: acabar de conjuntar el grupo, encontrar la gente que nos falta, concienciarnos de que esto va en serio y, por supuesto, movernos, probar suerte... No sé, a lo mejor grabar un disco, o intentar que alguien nos represente, algo así como un gerente. ¿Qué sería de Presley sin ese hombre, el coronel Tom Parker?

—Me parece bien —convino Paul.

—¿Y por dónde empezamos?

La pregunta quedó flotando en el aire, hasta que otra ráfaga de viento los obligó a moverse, y probablemente se la llevó, huérfana de respuesta. Sus pensamientos los acompañaron silenciosamente.

Era de noche y hacía mucho frío.

# 33

EL Philarmonic Hall de Liverpool, que da a las calles Hope y Myrtle, muy cerca de la universidad, presentaba una compañía de ballet con un programa compuesto por obras de Stravinsky y Tchaikosky: «La consagración de la primavera», «El pájaro de fuego» y «Cascanueces». John se alegró instintivamente de que no figurase en cartel «El lago de los cisnes». De la misma forma que Shakespeare era eterno en la escuela, parecía como si «El lago de los cisnes» fuese eterno en el ballet. Por el contrario, la música de «La consagración de la primavera» le entusiasmaba. Era fuerte, exuberante, vital. Se entretuvo mirando los cuadros hasta que apretó los puños y comenzó a encontrar el clímax del tercer movimiento.

La voz de Paul le cortó casi de raíz.

—Hola, ¿hace mucho que esperas?

John dio un respingo, y las gafas resbalaron hasta la punta de su nariz aguileña.

—Cinco minutos —respondió—. Mi tía me ha dado el recado nada más llegar a casa. ¿Qué sucede?

—Tampoco era como para que vinieras corriendo, hombre. ¿Has oído hablar de un tal Percy Phillips?

Trató de hacer memoria inútilmente.

—No.

—Entonces vamos, te lo contaré por el camino.

Abandonaron la protección de la marquesina del Philarmonic Hall y caminaron resguardándose de la llovizna que caía en forma de finísima cortina desde hacía dos días. Paul echó calle Hope abajo, hacia Upper y Canning.

—Percy Phillips tiene un pequeño estudio de grabación —dijo Paul—. No es nada del otro mundo, más bien algo para andar por casa, pero sirve para hacer maquetas. He pensado que podríamos ir a verle, ¿te parece?

Una maqueta con un par de canciones en un estudio de verdad se salía de su presupuesto, y sin maqueta no se podía ir a ninguna parte. Cualquier emisora de radio o las compañías discográficas de Londres querían oír una maqueta antes de hablar con los miembros de un grupo. La alternativa de Paul tenía visos de interés.

—Hablar no cuesta nada —comentó John.

—Incluso puede que ese Phillips conozca gente y pueda facilitarnos algún contacto.

—Lo importante es grabar dos o tres temas.

—¿De los nuestros o...?

—De los nuestros, de los nuestros —reiteró John—. Tenemos canciones que son mucho mejores que algunas de las que están en el *ranking*.

—Tal vez convendría ir sobre seguro —dijo con cautela Paul—. Cada vez que decimos que vamos a tocar temas propios, la gente se hace la remolona. Acuérdate de lo que pasó la semana pasada.

—Si quieren oír lo de siempre, que se pongan los discos, ¿vale? Está bien que cuando actuemos hagamos mitad y mitad, pero si hemos de darnos a conocer... Mira Frankie Lymon: con catorce años y ha vendido dos millones de discos de su canción *Why do fools fall in love?* Oye, ¿dónde vive ese Percy Phillips?

—Aquí cerca.

John respiró hondamente.

—Vamos a decirle que somos profesionales, ¿eh? Que no crea que habla con unos del montón —pensó de pronto el riesgo que corrían—. Aunque habrá que llorarle un poco y asegurarle que no tenemos ni un penique, no sea que le dé por cobrarnos una tarifa especial.

—Si le gustamos, tal vez nos fíe hasta que grabemos de verdad —sonrió Paul.

John le dio unas palmadas en la espalda.

—Eso no estaría nada mal —dijo completamente en serio.

# 34

JULIA Stanley hizo ademán de levantarse. Tía Mimi la detuvo con un gesto persuasivo entre enérgico y cariñoso. En el comedor flotaba un ambiente de ternura que cobijaba a todos.

—¡Deja, deja, ya lo haré yo! Acabas de llegar y estarás cansada, no me hagas enfadar.

Tía Mimi recogió los platos y se marchó dejando tras de sí un halo de suavidades. Su hermana se relajó, apoyando la espalda en el respaldo de la silla. Extendió una mano para sacar un cigarrillo.

—¿Todavía fumas tanto? —le preguntó John.

Ella hizo un gesto vago, que podía significar cualquier cosa, aunque su intención era quitarle importancia al tema, mostrarse indiferente.

—Es encantadora —dijo refiriéndose a Mimi.

John se acodó en la mesa.

—¿Te quedarás mucho tiempo esta vez?

Julia Stanley no contestó inmediatamente. Parecía cansada, víctima de un agotamiento interior que nacía en su espíritu y se prolongaba más allá de sí misma, hasta esa zona donde sentía que ya no era ella, sino la imagen de sus propias emociones. Sus ojos estaban sumidos en un mar de inquietudes, a punto de tormenta, una tormenta que el cansancio ahogaba y dominaba. Se sentía atenazada por la nada de la espera. Los ojos de su hijo, fijos en ella, acabaron por desarmarla.

—Unos días —contestó.

—¿Cuántos?

—Unos días.

De nuevo el gesto impreciso.

—Pareces cansada —dijo John.

—Es por el trabajo, el viaje hasta aquí... Llevaba ya demasiado sin verte y... —había comenzado a hablar con cierto nerviosismo. Se detuvo y apoyó una mano en un hombro de John—. ¡Se está tan bien aquí!

—Podrías quedarte de una vez.

No quería ser acusador ni terminante, pero carecía de la paciencia y la calma de un adulto o de otro cualquiera en las mismas circunstancias.

Tía Mimi volvió a entrar en el comedor.

—¿No le encuentras cambiado? —preguntó señalando a John.

—Ha dado el estirón definitivo —suspiró Julia Stanley—. Ahora sí que ya es un hombre.

La peligrosa espiral emotiva desatada con la última observación de John se detuvo en su ascensión por la presencia de tía Mimi, que miró a su sobrino con orgullo.

—Parece que fue ayer —comenzó a decir.

—¿Cómo va tu grupo? —preguntó Julia Stanley.

—Bien, muy bien. Esta semana grabamos una maqueta; ya sabes, una cinta de prueba en un estudio.

Su madre le miró sorprendida.

—Eso suena a profesional, ¿no?

—Sólo es una maqueta —aclaró él tratando de quitar importancia a sus anteriores palabras—. Un paso necesario para que tú mismo veas qué tal lo haces.

—Deberías oír las canciones que está haciendo —intervino tía Mimi, un poco fuera del contexto de la conversación—. Él y ese amigo suyo, Paul, trabajan mucho.

—Pase lo que pase, me gustaría que no dejases los estudios, hijo.

Hijo era una palabra llena de contenidos y exigencias. John y su madre se miraron. La palabra flotaba entre los dos.

—En junio acabo la escuela. ¿Cómo quieres que los deje? Por lo que me queda...

—¿Y después?

Tía Mimi se sentó de nuevo.

—Quiero cantar y actuar con Los Quarrymen. Mientras tanto, creo que ingresaré en la Academia de Arte.

Julia Stanley apagó el cigarrillo a medio consumir. Ninguno de los dos supo si su seriedad era una muestra de disgusto por la primera noticia o una señal de alivio por la segunda. Su hermana lanzó un inesperado ataque.

—Yo creo que si te quedas hasta comienzos de verano podréis discutir esto y estudiarlo sobre la marcha, ¿no?

Julia le dirigió una mirada cargada de acritud.

—Estamos en febrero, Mimi. Sabes que no puedo.

John se puso en pie.

—¿Por qué no nos cantas algo, querido? —dijo tía Mimi para salvar la situación.

El muchacho bajó la cabeza. Aún tenía el pelo revuelto por el abrazo y la efusividad con que media hora antes había recibido la llegada de su madre. Había tanto amor como frustración en sus ojos cuando dijo:

—Me espera Paul, lo siento.

—¿No puedes llamarle y...? —preguntó con delicadeza tía Mimi.

—Ahora ya no —la interrumpió él—. Si hubiera sabido antes que ibas a venir, mamá...

—Claro, John; no importa —le dijo Julia Stanley en tono apagado.

John Lennon se inclinó sobre ella, le dio un beso en la frente y después se marchó.

Ninguna de las dos mujeres habló hasta que sus pasos dejaron de oírse, perdidos en el breve camino del jardín.

# 35

EL estudio de grabación de Percy Phillips era diminuto, apenas un espacio para un equipo de dos pistas y un receptáculo en el que no cabían más allá de cuatro músicos con sus instrumentos. Una mampara de cristal y un relleno de fibra de vidrio cubriendo las paredes, sin una sola concesión a lo decorativo, formaban el resto. La mampara separaba el equipo de la salita de grabación propiamente dicha. Realmente era muy poca cosa, pero mucho más de lo que ellos, y otros muchos, podían soñar.

Ahora, mientras oían las dos canciones por los altavoces, serenamente, finalizada la grabación en tan sólo media docena de tomas, Los Quarrymen no se atrevían a mirarse entre sí, salvo John y Paul, en cuyos ojos se leía un creciente abatimiento. Percy Phillips era un puro nervio, una inquietud contagiosa; tenía unos pocos años más que ellos. Al terminar de oír la cinta, fue el primero en hablar.

—La grabación es buena —afirmó.

—Pero nosotros no —dijo John.

—Yo creo que eres demasiado severo —objetó Paul.

—Vaya —el rostro de John mostró la intensidad de su amargura—. ¿Y eres tú quien dice eso? Creía que te interesaba tanto como a mí llegar a la perfección. Acuérdate de que dijimos que con la competencia que hay, los que no suenen bien se irán al diablo.

—Quería decir que es la primera vez que nos oímos a nosotros mismos y podemos juzgarnos. Hasta ahora creíamos sonar de una forma, o nos decían que estábamos en un tono alto, agudo, grave. Pero esta vez nos hemos oído. Yo mismo sé ahora cómo corregir un par de cosas, y tú seguro que sabes cómo arreglar algunas más. Tal vez no podamos ir a ninguna compañía discográfica con esta cinta, pero nos será muy útil, mucho. Y no deja de ser una tarjeta de presentación para que nos contraten. Con ella podemos ir a ver a algunos gerentes.

Los otros tres miembros del grupo no hablaban. Sabían que John y Paul eran los jefes, y que no admitían interferencias en este sentido. Percy Phillips se levantó y paró la bobina con la cinta original.

—¿Puedo deciros algo?

—Sí, claro —le invitó John.

—Por aquí han pasado bastantes grupos desde que tengo montado esto, grupos de todo tipo, desde los que hacen *skiffle*, como vosotros, hasta los que hacen *rock and roll*, y hasta algún loco que iba de *bluesman* y cosas por el estilo. ¿Y sabéis qué os digo? Pues que la mayoría, por no decir casi todos, copiaban descaradamente el estilo de Lonnie Donegan o el tono de voz de Presley. Sois los primeros que han querido grabar canciones propias, y esto para mí es importante.

—Sí, quiere decir que estamos más locos que los demás —se burló John agriamente.

—No digo que no estéis verdes —siguió Percy Phillips—, pero las canciones, al menos estas dos, tienen algo. Y lo de estar verdes se soluciona dándole más fuerte y con más energía al asunto, ¿entendéis? Habéis de ensayar más y, sobre todo, tocar en directo cuanto podáis. El mejor ensayo es la actuación en vivo, porque te obliga a corregir defectos sobre la marcha, a improvisar viendo la cara de la gente, y a salir de apuros con ingenio. Sólo os falta conjuntaros.

—¿Y dónde conseguimos actuaciones? —preguntó Paul.

—Están saliendo conjuntos por todas partes, y los que no saben tocar se están haciendo representantes. Ya hay dos o tres agencias buscando gente nueva con *skiffle* o *rock and roll*. Grabar un disco es otra cosa, pero esta cinta seguro que os va a servir para firmar un contrato para que un agente os represente.

—¿Un contrato siendo menores de edad?

—Bueno, ellos arreglan esas cosas. Por cierto, hablando de arreglar, ¿podéis venir Paul y tú a mi despacho para firmarme el comprobante de la grabación?

—¿Qué?

—Es sólo un requisito; venid.

Percy Phillips estaba ya en la puerta. Los otros tres Quarrymen no se movieron. John y Paul siguieron al propietario del estudio por un estrecho pasillo. El despacho no era más que la habitación del propio Phillips. Entraron en ella.

—En realidad sólo quería hablar con vosotros dos a solas —les confió a ambos mientras cerraba la puerta—. No quería que me oyeran los demás, aunque tampoco sé qué clase de lazo os une con ellos, ni si me meto en camisa de once varas.

—Paul y yo somos los que decidimos las cosas del grupo; puedes hablar.

Percy Phillips se tranquilizó.

—Puedo estar equivocado, pero si os sirve de algo mi experiencia, os diré lo que he notado. En primer lugar, creo que os falta un buen guitarra solista, y no te ofendes, John. Tú llevas bien el ritmo, lo mismo que Paul, pero un solista es importante, ya sabes, alguien que puntee bien.

—¿Te crees que no lo buscamos? —dijo John—. Hace tiempo que pensábamos en ello. Paul podría ocuparse del bajo y yo del acompañamiento.

—Perfecto. En segundo lugar, opino que para vuestro estilo es indispensable un batería mejor.

—También lo sabemos —convino John.

Percy Phillips les dio la mano.

—Si lo sabéis, quiere decir que estáis en el buen camino. La mayoría de los grupos están formados por una partida de amigos y, para no herirse unos a otros, aguantan con lo que tienen y acaban hundiéndose. Formar un conjunto requiere tiempo, hacer muchas pruebas hasta dar con la gente adecuada y, desde luego, actuar y actuar mientras tanto.

—¿Algo más? —le invitó a seguir John, viendo la buena voluntad de Phillips.

Percy Phillips hizo un gesto ambiguo.

—Hay algo... —dijo—, pero no es tan importante: no me gusta el nombre que habéis puesto al grupo.

# 36

PAUL marcó el acorde dos veces. Dejó una pausa y lo repitió pasando a continuación a una escala inferior.

—¿Lo ves? —le dijo a John.

—¿Por qué no pruebas cambiando a re y luego subiendo el tono hasta empalmar con lo que ya tenemos hecho? El estribillo podría ir aquí.

—¿Y hacemos un puente con la parte del solista?

—Sí —indicó John—. Luego, volvemos a meter el estribillo y cerramos.

Paul lo memorizó todo. Cuando estuvo dispuesto, sonrió nervioso.

—Vamos a probarlo.

Tocó toda la canción, con dos leves errores que corrigió

sobre la marcha. Por encima de la música, que surgía del rasgueo de su guitarra, tarareó una inexistente letra. El resultado entusiasmó a los dos.

—¡Es muy buena! —dijo el mismo Paul al terminar—. Si encontramos un buen texto...

John se dejó caer hacia atrás, agotado, como si acabase de realizar una tarea titánica y pagase el duro esfuerzo. Permaneció silencioso.

Paul creyó que estaba pensando en la canción, en el título y la letra.

—¿No te parece que tiene un aire de viaje? —propuso—. Yo me inclino por hacerle una letra que hable de trenes. ¿Qué tal «El tren de mi amor se aleja lentamente»?

John no contestó.

—No —rectificó Paul—. Debería ser algo más fuerte, menos romántico.

—¿Cuántas canciones llevamos compuestas? —preguntó John.

Paul lo meditó.

—He perdido la cuenta, pero creo que serán ya como cincuenta o sesenta.

—¡Jesús! —suspiró John.

Se incorporó de golpe y miró a su amigo con desesperación. Iba a agregar algo más cuando la puerta del cobertizo se abrió sin previo aviso y, a contraluz, apareció un hombre joven al que no conocían.

—Hola —se presentó el recién llegado—. ¿Sois Los Quarrymen?

John se puso en pie y Paul le secundó dejando la guitarra.

—Me llamo John Lennon y él es Paul McCartney. Somos los Quarrymen.

El visitante les tendió la mano. Sonreía con calor.

—Me llamo Nigel Whalley. ¿Tenéis un minuto? Soy representante de conjuntos.

# 37

JOHN cerró el informe, bastante abultado, pero no se lo devolvió a Whalley. Lo mantuvo en sus manos, como si esperase recibir algo más de él que la información recién asimilada.

—Como veis, mis grupos actúan bastante, cobrando lo que se merecen. Formamos un equipo, y eso es lo más esencial.

—Pero son actuaciones menores —se lamentó John—, en colegios o fiestas. No hay nada que sea verdaderamente importante.

Nigel Whalley se envaró. Era un hombre agradable, y se adivinaba por su forma de ser que cumplía con las características del buen vendedor.

—Yo no pretendo engañaros. Todos estamos comenzando en este negocio: vosotros como conjunto y yo reuniendo a los que creo que valen la pena, para trabajar con ellos. En un tipo de sociedad como la que podríamos formar, lo esencial es la compenetración y el esfuerzo de ambas partes. Ni siquiera os está permitido firmar un contrato, así que nos basaríamos en reglas éticas: yo busco una actuación, convengo un precio, vosotros actuáis, y nada más terminar el concierto percibís lo estipulado, deduciendo mi tanto por ciento.

—¿Cómo ha oído hablar de nosotros? —preguntó Paul.

—Sois bastante populares —admitió Whalley—, y supe que andabais buscando un agente. Por supuesto, me gustaría oíros tocar, pero el hecho de que se os conozca en círculos estudiantiles y en algunos barrios ya me vale. Es una garantía.

—¿Cuánto se quedaría de lo que cobrásemos? —quiso saber John.

—El treinta por ciento.

—¿El treinta por ciento? —repitió abrumado—. Creía que la cosa estaba entre un diez y un veinte.

Nigel Whalley intentó justificarse.

—Yo pierdo mucho tiempo mientras que vosotros ganáis el vuestro. Yo corro con los riesgos, me desplazo, visito a gente a la que no convenzo, o cedo ante otros que pagan menos de lo que sería de desear, porque a veces es conveniente mostrarse flexible. Todo ello sin olvidar lo que os he dicho antes: no hay nada firmado. Podéis haceros populares y largaros con otro agente. No veo que el treinta por ciento sea desorbitado.

John miró a Paul.

—El treinta por ciento de algo es mejor que el setenta por ciento de nada —reflexionó éste en voz alta.

—Tal y como lo veo yo, chicos —continuó Whalley—, lo que necesitáis es tiempo para componer y ensayar, pero también habéis de actuar en directo para foguearos de veras. Es en la escena donde salen los artistas, no en los ensayos, aunque éstos sean necesarios. Y no olvidéis algo muy importante: viene el verano.

—Falta bastante aún, ¿no cree?

—Cuanto antes se logren contratos, mejor. Hay gente que tiene ya formalizadas las actuaciones de todo el verano, para escoger lo que les interesa. Hay que moverse ahora. Por vuestra parte, debéis acabar la escuela, estudiar, preparar la graduación y esas cosas. Pienso que requieren tiempo. No podéis hacerlo todo.

John le entregó el informe. Habían estado esperando algo como aquello y ahora que lo tenían delante no saltaban de alegría, ni decían que sí a la primera. Contrariamente a lo que pensaban, Whalley era honrado, la clase de persona que disfruta con lo que hace y lo hace a conciencia. Paul no se atrevía ni a respirar, esperando la decisión de su compañero.

—¿Cuántas actuaciones nos puede garantizar? —preguntó John.

—Es difícil asegurar algo así —repuso el agente—, pero disponiendo de la cinta de la que me habéis hablado, creo que podríamos hablar de una a la semana al menos. El objetivo será buscaros algo fijo en alguna parte, una semana completa o dos en algún local juvenil.

Era más de lo que podían desear y esperar. Un sueño y un primer paso. John acabó asintiendo con la cabeza. Paul cerró los ojos y se relajó.

—De acuerdo —dijo John.

Nigel Whalley le dio una palmada en un hombro.

—No os arrepentiréis. Esto es el comienzo de una verdadera carrera profesional. ¿No habría que celebrarlo?

# 38

Subió las escaleras de puntillas, en silencio, intentando no pisar ninguna de las maderas que solían crujir siempre. No llegó al piso superior, porque la puerta de la habitación de su madre estaba entornada. La voz de tía Mimi llegó hasta él con claridad. Era una voz llena de ternura. Pero había en ella un toque amargo.

—... sé que las cosas no son fáciles, Julia, ¡claro que lo sé! Y yo... yo hago lo que puedo.

—Claro que lo haces, Mimi. De no ser por ti, no sé lo que haría.

—Pero a veces me da miedo mi incapacidad, mi limitación. Él es tan... tan... —buscó una palabra que pareció no encontrar—. Tú misma lo has visto: está en una edad difícil.

—¿Y cuándo no lo ha estado? Todas las edades son difíciles.

—Sólo que ésta es la última —dijo tía Mimi—. A partir de aquí, ya no hay retroceso ni solución posible, ¿no lo ves? En la infancia, en la pubertad, a cualquier edad hay una forma, un diálogo, pero John va camino de los diecisiete, y es bastante más inteligente que los adolescentes de su misma edad. Es un hombre. Me atrevería a decir que estás ante... ante tu última oportunidad.

La voz de Julia Stanley fue seca.

—¡Mimi, por favor, no dramatices!

Tía Mimi no dio su brazo a torcer.

—¿No ves cómo se refugia en la música? Johnny te necesita.

Se detuvo, y desde la escalera John comprendió el motivo. Oyó un ahogado sollozo de su madre. Sintió ese vértigo que producen, cuando se dan a la vez, la rabia, la compasión y la impotencia. Tuvo que permanecer inmóvil, y sintió la tentación de volver abajo para no oír nada más, pero sus pies se negaron a moverse.

—Julia, Julia —musitó tía Mimi.

—¿Crees que..., crees que no hubiera querido que las cosas fueran de otra forma? —gimió la madre de John—. Por encima de todo, él está mejor aquí, y yo... yo necesito trabajar, y no podría hacerlo en Liverpool. No puedo volverme atrás.

—Siempre te han dado miedo los recuerdos, ¿no es cierto?

—No lo sé, no lo sé.

La voz de tía Mimi se convirtió en un murmullo apenas audible.

—Johnny ha estado hasta ahora bajo nuestra responsabilidad. Yo misma estoy asustada. Johnny ha tomado las riendas de su vida. No tardará en volar, ¿sabes?

—¡Veo tanto a su padre en él!

Se oyó el cierre de una maleta, y la puerta de la habitación se abrió de par en par, impulsada por la mano de tía Mimi. John abandonó su posición en la escalera, deslizándose hacia la planta baja como una serpiente asustada. Lo último que escuchó fue a su tía diciendo:

—No dejes que pase tanto tiempo esta vez, por favor, Julia. Haz lo imposible, ven los fines de semana. Johnny se gradúa en junio y, además, ¡te quiere tanto!

Alcanzó la puerta principal, la franqueó sin hacer ruido y caminó por el breve sendero del jardín, hasta llegar a la cancela que comunicaba con la calle. Un diáfano sol jugueteaba con los estertores del invierno, preludiando el canto de la primavera. Era un día insólito, sin una sola nube en el cielo. Se sintió invadido por él y permaneció quieto un tiempo indefinido, hasta que a su espalda escuchó un ruido.

Al volver la cabeza vio a su madre con la maleta, y a tía Mimi detrás.

Odiaba las despedidas.

Y su vida parecía estar llena de ellas.

El recuerdo de las últimas palabras de su madre brotó en su mente:

—¡Veo tanto a su padre en él!

¿Significaba algo bueno o algo malo aquello que le había hecho amarle en un comienzo, o aquello que le había hecho odiarle después? No, esto no tenía sentido. Pero, entonces, ¿había algo que lo tuviera?

Julia Stanley se detuvo ante él. Dejó la maleta en el suelo.

—Volveré en cuanto pueda, de verdad —dijo.

—¿Estarás aquí para mi graduación? —preguntó él.

Julia Stanley vaciló. No supo si su hijo hablaba en serio.

Faltaban cuatro meses para la graduación, aunque, ¿no estuvo otras veces mucho más tiempo fuera?

—Te quiero, Johnny —musitó.

Abrió sus brazos y lo estrechó en ellos. El muchacho fue consciente de su temblor, y de la fuerza indestructible que cerraba el círculo en torno a ambos. Intentó participar, deseándolo con todas sus fuerzas, pero algo se lo impidió. Los labios de su madre recorrieron los senderos de su cabello, hasta alcanzar la libertad de la frente. Las gafas amenazaban romperse por la fuerza del abrazo, pero ni uno ni otra prestaron atención a este detalle.

Lentamente, los brazos de John se hicieron cántico emocionado en torno a la espalda de su madre.

—Te quiero, Johnny —repitió Julia Stanley.

# 39

Su voz trenzó una melodía lánguida, suave, que acabó convirtiéndose en un tema lento, triste y nostálgico. La guitarra acompañó el vuelo de la voz, despertándola de su languidez. La armonía de la voz y la guitarra se convirtió en un río de sonoridades y sentimientos nuevos.

La mística de lo nostálgico superó las barreras de lo creativo. Estaba viviendo el éxtasis estético. Y John sabía muy bien el porqué de esta vivencia.

—¡Madre!

La mano que pulsaba las cuerdas se detuvo. La mano izquierda cambió de posición en los trastes. Volvió a repetir la melodía perezosamente.

Su sangre ardía, presa de una rabia incontenible. Pero al mismo tiempo su espíritu vivía unos momentos de gran tranquilidad. Las cuerdas de su guitarra, acariciadas por sus dedos, se hacían eco de estos sentimientos contrapuestos.

La canción nacía natural, espontánea, del amor y del odio. Se sentía débil y fuerte a la vez. Sí, todo se fundía en la realidad indescriptible de la canción.

—Madre —volvió a cantar.

Era el título, pero ¿qué letra podía poner a la canción? El río de la melodía seguía su propio curso, incontenible. Navegaba hacia un mar de sensaciones musicales puras.

La canción nacía y moría al mismo tiempo.

Y entonces dejó de tocar.

La última nota se hizo eco de su derrota. Se dejó sumir en el mundo de la languidez y la nostalgia y cayeron derribadas las murallas de su castillo de paz. El amor y el odio renacieron, colmando hasta los bordes el vaso de la ira. Se dijo a sí mismo que aquélla era una canción sin sentido, un fantasma, la imagen que él mismo quería crear en un instante de vacío.

La inconsistencia de un deseo.

Y mentalmente la hizo añicos, renunciando a su calor y

a su realidad. Su cuerpo parecía tranquilo. Pero la lucha interior le hizo perder su equilibrio emocional.

El proceso de autodestrucción que estaba viviendo conscientemente era su único punto de apoyo para continuar luchando. El caos lo proyectó hacia cotas inalcanzables, aun para su sed de venganza. El odio era claro vencedor.

—Mierda —exclamó.

Y el sonido de su voz lo liberó por fin.

La canción ya no existía. El recuerdo tampoco. Seguía solo, quemando un silencio estéril. La guitarra se convertía en una presencia muerta entre sus manos.

Así que acabó arrojándola sobre la cama y después se marchó de su habitación.

Derrotado.

# 40

—¡Vamos, Kay, vamos, puedes hacerlo!

—¿No sería mejor cambiar, hacer una pausa y entonces entrar?

—No, ¡no! —gritó John—. ¡Lo quiero como te he dicho! ¿Tan difícil es?

—¡Maldita sea, sólo llevo una semana con vosotros! —protestó el batería—. Dame tiempo, ¿no?

—¡No hay tiempo!

Paul se acercó a su amigo. De espaldas a Kay le susurró:

—Tranquilo, le necesitamos.

John hundió los hombros. Era un compás sencillo, un simple cambio, una ruptura en mitad del redoble para unirlo con la entrada del siguiente movimiento. La única dificultad consistía en tener que utilizar ambas manos y poseer la suficiente habilidad para cambiar durante un segundo el ritmo de ambas. La elementalidad de Kay se lo impedía, estaba claro.

—¿Lo practicaste en tu casa, como te dije?

—Estamos en exámenes, ¿lo olvidas? Iba a hacerlo cuando se presentó mi padre antes de hora, y tuve que ponerme a estudiar.

—Ésa es una buena canción para la actuación del domingo, y lo sabes.

—¡Al diablo con la maldita actuación del domingo, Lennon! —gritó Kay—. Tenemos un montón de canciones y todas son buenas, pero si a mí me fastidian la graduación, se me acaba la buena vida, ¿sabes? Mira, tú no tienes un padre que te anda todo el día detrás, ni nadie que te caliente los cascos, así que no me vengas...

—Kay.

El batería dejó de hablar y miró a Paul McCartney. Éste le rogaba que se callase, poniéndose el índice sobre los labios. Kay desvió los ojos hacia John. Antes de que el jefe del grupo pudiera decir nada, su amigo volvió a colocarse delante de él.

—Todos estamos nerviosos con la dichosa graduación —apuntó serenamente.

—¿Y...?

El tono de John era desafiante.

—¿Vas a tomarla conmigo? Si Kay se va, no habrá actuación el domingo, y esta vez Whalley nos enviará a paseo. Sé lo que te pasa y te comprendo, pero esto no...

—Tú no sabes lo que me pasa.

—Enterré a mi madre el año pasado, ¿recuerdas? —habló Paul con gravedad—. No tienes por qué hablarme de sentimientos, ni creer que los tuyos son mejores que los míos. Todos tenemos problemas.

—¡Eh! —gritó Kay—. ¿Qué estáis murmurando? Si pensáis que no sirvo, no tenéis más que decírmelo. Por lo que nos pagan por tocar, no vale la pena matarse ni...

—No hablábamos de eso; tranquilo —dijo Paul volviéndose hacia él—. ¿Por qué no lo intentamos una vez más? —volvió a dirigirse a John—. ¿Te parece?

La respuesta no fue inmediata. McCartney acabó sonriendo de aquella característica forma en que lo hacía, mitad infantil, mitad de conejo. John acabó arrastrado por ella. Después de todo...

—El tranquilo McCartney —suspiró.

—El inquieto Lennon —murmuró Paul.

John volvió a tomar su guitarra. Solía estropear las cosas a menudo, y a veces era un lujo que no podían permitirse. Para su tozudez y su tesón no existía la palabra imposible.

Él lo sabía, y Paul también.

Los demás no comulgaban demasiado con esta idea.

—Vamos a intentarlo de nuevo —dijo.

El batería tomó sus baquetas. La crispación había desaparecido. El otro guitarra y el bajo le secundaron, dispuestos a reanudar el ensayo. Paul McCartney tarareó el estribillo de *Don't be cruel*, «No seas cruel». John no pudo evitar un gesto de relajada ironía al oírlo.

—Un, dos, tres y...

# 41

CAMINABAN por los alrededores de la estación de Lime, envueltos en el bullicio de la gente que circulaba siempre por las proximidades de las estaciones, cuando John le hizo la pregunta:

—¿Por qué reaccionaste, amparándote en la música, cuando murió tu madre?

Paul pensó la respuesta apenas unos segundos, más sorprendido por el momento en que se le planteaba que por el fondo de la misma.

—Creo que ya te lo dije —respondió—. De pronto vi claro que la música tenía un sentido mucho más fuerte del que había creído. Fue como si toda la tradición de mi padre cobrase forma repentinamente. Quiero decir que tenía algo, no sé cómo explicarlo; algo, la posibilidad de ser alguien por mí mismo, valiéndome de mi esfuerzo, y sin esperar a terminar una carrera, y ser médico o abogado, ¿entiendes? Antes de que mi madre muriese, pensaba que había otras cosas, y que la música, siendo importante, nunca pasaría de ser un pasatiempo o un sueño. Luego me encontré solo, pensé en mi padre y en su primer grupo, el que creó cuando tenía diecisiete años, y todo se hizo claro. Asumí mi propio papel, y una vez convencido de él...

Un hombre que sostenía una bolsa de los almacenes Harrod's, los más prestigiosos de Londres, pasó por su lado. Andaba a grandes zancadas y pretendía desenvolverse, comportarse con un aire señorial. Como si Harrod's supusiera automáticamente un sello consumado de distinción, conseguido en la tómbola de la vida. A pesar de su apariencia, John vio la huella de Liverpool impresa en sus ojos, acuñada en cada uno de sus movimientos, persiguiéndole como su misma sombra.

Liverpool.

—La última vez que mi madre estuvo en casa —dijo con aire de profunda reflexión— le dijo a mi tía que yo me refugiaba en la música.

—¿Utilizándola como un abrigo seguro?

—Es posible.

—Tú estás lleno de música —afirmó Paul—, y lo estarías igual aunque tus padres estuviesen en casa. Eso no tiene nada que ver.

—De todas formas, me pregunto si será verdad. Siempre he pensado que yo era distinto de los demás, y no por ser medio huérfano. A veces querría saber por qué soy así, qué es lo que hace que actúe como actúo y que sienta lo que siento.

Se produjo un colapso circulatorio. Las bocinas de los coches protestaron tímidamente. Una mujer recogía algunos paquetes caídos en la calzada, ayudada por la gente. Un tren se alejó de la estación de Lime con su carga humana.

El encierro diario en rediles diminutos de los seres humanos cada atardecer.

—Somos artistas, ¿no? —bromeó, no sin cierto convencimiento, Paul—. Eso ya representa ser especiales.

—Mira toda esa gente —indicó John, señalando la agitación de la estación—. ¿Cuántos han visto cumplidos sus sueños? ¿Crees que más de uno no quiso ser delantero centro del Liverpool o pintor, y más de una no anheló convertirse en bailarina o ser una famosa escritora? Estamos tan convencidos de que vamos a conseguirlo, de que el triunfo está en nuestras manos, que me asusta...

—¿El fracaso?

—No, descubrir que estamos soñando.

Paul se detuvo. Su compañero solía bromear siempre, estar contento, aunque a veces se enfurruñara o pasara por momentos de mal genio y súbito enfurecimiento. Raras veces se desnudaba tanto, y muchas menos confesaba miedo o inseguridad. Había algo de crisis o depresión en aquella voluntaria confesión.

—Hoy has despertado con vena de filósofo —dijo Paul.

—Hace ya algunas semanas que sé que algo está pasando —le aseguró él—. Primero creía que era por la graduación, el fin de la pesadilla, los Pinkerton y compañía. Luego me dije que era por mi madre y todo ese rollo. Más tarde pensé en el grupo, en los cambios, en las posibilidades de ganar algún dinero este verano actuando a menudo. Y finalmente, sospeché que se trataba de la responsabilidad de tener que decidir en otoño lo que iba a hacer. ¿Seguir estudiando? ¿Trabajar?

—¿No pensabas matricularte en la escuela de arte?

—Sí, todavía sigue siendo lo que más me atrae. Cualquier clase de trabajo me restaría demasiado tiempo y el grupo se resentiría. Supongo que acabaré matriculándome en la escuela de arte.

—Y en cuanto a lo de que sucedía algo, ¿a qué conclusión has llegado?

John tiró de él, y ambos entraron en la estación. Parecía como si la noche hubiese llegado antes a ella, porque era el cúmulo de todas las oscuridades.

—Lo consideré todo —dijo John—: el fin del colegio, la libertad, el grupo y su estancamiento, mi madre, este próximo verano, decidir qué hacer en otoño y Liverpool.

—¿Qué tiene que ver Liverpool en todo esto?

—¿No te das cuenta? Es una buena ciudad, con gente que ha sudado lo suyo, pero no es Londres.

—A mí me gusta Liverpool —insistió Paul.

—¿Y piensas seguir aquí el resto de tu vida? Las compañías de discos, la radio, la televisión, las oportunidades, todo está en Londres. Tarde o temprano tendremos que decidirnos, y yo ya he dado el primer paso.

Paul frunció el ceño.

—¿Qué has hecho?

—De momento, nada, pero voy a vivir solo en cuanto me sea posible. Una vez dependa únicamente de mí mismo y mi único compromiso real sea con el grupo y la música, las cosas van a cambiar, estoy seguro.

—Parece que lo tienes claro.

—Lo tengo claro y, por supuesto, sigo contando contigo. Hay que lanzarse de cabeza para conseguir lo que uno quiere. No basta con estar seguros de nosotros mismos.

Paul McCartney soltó una carcajada.

—¿Te acuerdas de cuando te dije que lo conseguiríamos, que nosotros teníamos algo?

Le dio un golpe cariñoso en la boca del estómago y se separó un par de metros de él. Era muy característico de uno y otro romper una conversación seria a la mitad, cuando se encontraban demasiado atrapados en ella. Paul abrió los brazos y en plena estación gritó:

—¡Lennon y McCartney!

Después echó a correr y John le persiguió sorteando los cuerpos de los hombres y mujeres silenciosos que llenaban la estación.

# 42

EL teléfono hizo que saliera de su habitación y se precipitara escaleras abajo. Apenas se oyó la tercera señal, cuando lo descolgó, adelantándose a su tía, que salía de la cocina frotándose las manos en un delantal.

—¿Sí? —gritó.

La voz de Nigel Whalley le restó un mucho de entusiasmo. Faltando menos de una semana para la graduación, esperaba otra llamada. A pesar de ello reaccionó con rapidez.

—Hola, señor Whalley. ¿Qué hay?

—Buenas noticias para ti y para Los Quarrymen —dijo Whalley el otro lado del hilo telefónico—, pero antes de firmar nada, quería estar seguro.

—Seguro, ¿de qué?

Tía Mimi regresó a la cocina.

—De que todo va bien —puntualizó Whalley—. He oído decir que has vuelto a quedarte sin batería.

John se mordió el labio inferior. Habría sido mejor si su agente no se hubiera enterado del nuevo desaguisado. Intentó mostrarse sereno, y esta vez lo consiguió.

—¡Ah! ¿Es eso? ¿No pensará que le hemos echado sin tener un sustituto?

—Creía que se había ido él.

—Ido o echado, es igual. Usted sabe que necesitamos un guitarra y un batería auténticos, con posibilidades. Tenemos un buen elemento, pero cuando ganemos algo más, seguro que podremos pagar a alguno de los que ahora mismo están funcionando bien. ¿Qué hay de los contratos para el verano? Faltan menos de tres semanas para...

—Ése era el motivo de mi llamada —le interrumpió Whalley—. Las buenas noticias. Ya tengo apalabrados una docena de conciertos, y hay posibilidad de una semana en un club.

—¿La Caverna?

—¡Qué más quisiera yo! —dijo resignado Whalley—. De

momento vamos a conformarnos con menos, pero es seguro y con buenas perspectivas.

—¿A cuánto la noche?

—A comisión: un tanto por ciento sobre lo que se recaude. Como ves, depende de lo bien que lo hagáis y de la gente que metáis cada noche.

—¿No habrá problemas con lo de la edad?

—Que Paul se meta en el rincón oscuro —bromeó Whalley. Y agregó—: ¡Bah, no hagas caso! El noventa por ciento de los grupos que han aparecido en Liverpool están formados por chicos jóvenes. ¿Quién va a meterse con eso? Tú déjame a mí lo de los permisos. Cuando estéis actuando, ya veremos qué pasa, ¿de acuerdo?

John no lo tenía tan claro, y tampoco lo de actuar a comisión. Siempre se escondían consumiciones, o se decía que la mitad de la gente no había pagado la entrada. Amigos. Whalley tendría que vigilar. Era su problema.

—Está bien —aceptó John—. Supongo que hay que probarlo.

—Será un verano decisivo para vosotros, Lennon —aseguró Whalley—. ¿Cuándo acabas con esa dichosa escuela?

—Si no hay problemas, y no cae algún suspenso, la graduación será la semana que viene.

—Ánimo, chico, consíguelo —exigió la voz del agente a través del auricular—. Te llamaré mañana, y será mejor que no me falles con lo del nuevo batería.

Se despidieron y colgaron a la vez. Tía Mimi reapareció por la puerta de la cocina. Tía y sobrino se miraron con hondura de tiempo y de sentimientos.

Sobraron las palabras.

# 43

—JOHN Winston Lennon.

Nunca le había sonado tan mal como hasta ese momento su segundo nombre. Creía haberlo odiado bastante, y sus intentos por ocultarlo rozaban a veces la paranoia. Pero allí, en el patio de la Quarry Bank High School, comprendió lo horrible que era, y qué carga representaba para él llevarlo colgado al cuello como una cadena. Solía decir que se lo cambiaría algún día, cuando fuese famoso, sólo que ese mañana parecía ser una lejana utopía.

Él, que odiaba la guerra y toda forma de violencia, llevaba un nombre surgido de la guerra, por voluntad y designio materno. La admiración que en 1940 despertaba sir Winston Churchill hizo que su madre, patriota ciento por ciento, le bautizase así.

A él.

Se puso en pie y avanzó por la fila en dirección a la tarima alzada en un extremo del patio, donde el cuadro de profesores presidía la entrega de diplomas. No era como en las películas americanas, pero tenía el regusto y la tradición de lo británico, un ancestral toque de ostentación y orgullo.

Restos del Imperio.

Miró a Elías Pinkerton. No había podido con él y ése era su mejor premio. Un examen sorprendentemente brillante había acabado con las esperanzas del maldito amante de Shakespeare de dejarlo colgado hasta septiembre, impidiéndole la graduación. Ahora el profesor se hacía el indiferente. Centraba su mirada en algún punto lejano frente a él.

Se detuvo, extendió la mano y recogió su diploma. Los años de esfuerzo escolar se resumían en aquel pedazo de papel. La célebre frase del hombre cuyo nombre llevaba surgió en su mente, aunque un poco cambiada: «Nunca tanto esfuerzo quedó plasmado en menos». Cinco años de su vida por aquella cartulina que su tía, con lágrimas en los ojos, había jurado enmarcar.

Su victoria sobre Pinkerton le supo a poco.

Nadie había sabido, en realidad, quién era John Winston Lennon.

Cerró la mano sobre el diploma, saludó y se fue, mientras detrás de él la voz reclamaba la presencia de otro estudiante y unos tímidos aplausos saludaban su fugaz intervención en la gran fiesta. De nuevo en su sitio buscó entre el público a su madre y a su tía Mimi.

La primera sonreía con cansado relajamiento. La segunda lloraba.

—Fin —susurró él.

Julia Stanley encedió un cigarrillo y le saludó con un gesto de su mano.

# 44

TÍA Mimi se llevó una mano a los labios cuando él entró.

—¡Sssshhh...! —y con la otra mano apuntó hacia arriba—. Tu madre acaba de dormirse.

John ocupó su silla. Observó con voracidad la media docena de fuentes que llenaban la mesa. ¿Por dónde empezar? Su buen apetito complació a tía Mimi.

—Parecía cansada, ¿verdad? —preguntó su sobrino.

El apetito no concordaba con la observación, ni con el tono empleado por él. Como solía sucederle a menudo, ella se desconcertó.

—Sí, es posible —dijo con aparente tranquilidad—. Sabes que no está bien, que le cansa viajar, aunque sea para hacer distancias cortas, y, después de todo, hoy ha sido un día agotador. ¿Qué tal la reunión con tus compañeros?

—Bien —contestó lacónico John.

Se sirvió abundantemente y empezó a comer, engullendo y devorando bocados enormes. Tía Mimi, fiel a sus principios y con la inquebrantable esperanza de ser algún día escuchada, se lo reprochó:

—¡Johnny, mastica, y ve más despacio!

John la observó y se detuvo en seco. Los cristales de las gafas empequeñecían sus ojos, de forma que su mirada tenía un cierto aire de misterio, un tono de escrutadora fijeza. Por más que lo había visto mil veces, nunca acababa de acostumbrarse a ello. Su sobrino era un poco extraño en ocasiones, alocado otras, impetuoso y visceral las más. La humanidad que destilaba podía esfumarse con un comentario improcedente o una observación rayana en lo grosero. Lo quería como si se tratase de su propio hijo, pero siempre le había tenido un miedo curioso; en parte porque se consideraba inferior a él intelectualmente, y en parte porque sufría de un evidente complejo de inferioridad.

John era un ser especial.

Aunque posiblemente a ella se lo pareciese más. Por todo.

—Tía, ¿cuánto tiempo hace que no sabemos nada de mi padre?

Era la clase de pregunta que John podía hacer en aquel momento, sin más, en plena comida, con su madre durmiendo arriba y ella sola y desarmada, desamparada ante lo imprevisible. Corrientemente eran preguntas sencillas que requerían sencillas respuestas. Corrientemente. En ocasiones eran más bien rompecabezas, rayos y truenos que surgían de su cabeza. Tía Mimi creía oír a menudo el murmullo de sus pensamientos, el agitado tráfico de sus ideas. John aguardaba ahora una contestación.

Limpiamente. Con naturalidad.

—Muchos años. ¿Por qué?

—¿Cuántos años? ¿Desde que se fue a Nueva Zelanda en el cuarenta y cinco?

—Escribió una vez, creo, y me parece que se puso en contacto con tu madre en otra ocasión; no sé. ¿Por qué no se lo preguntas a ella?

—Porque prefiero preguntártelo a ti —sonrió.

—Pues mira tú qué bien —suspiró ella, acompañándole

en su relajada sonrisa—. Ésas son cosas en las que yo no entro ni salgo. ¡Allá lo que Fred hiciese!

—No te caía bien, ¿verdad?

—Era un zalamero tunante, que se las sabía todas. Supongo que nos engañó a tu madre y a mí.

—¿Me parezco a él, ahora que ya no soy un crío?

—No estoy segura. ¿Por qué?

—Mamá dijo una vez que yo le recordaba a papá.

Tía Mimi miró hacia el techo, como si pudiera atravesarlo y ver a su hermana Julia, o como si esperase una ayuda o lo hiciese para reprender a alguien.

—Tú eres mucho mejor que él —aseguró.

—Pero ¿me parezco? —insistió John.

—También te pareces a tu madre, y a tus abuelos, especialmente a mi padre y a mi madre. De tu padre creo que has heredado los ojos, la nariz, esa inquietud que suele andarte persiguiendo siempre, la ansiedad, la socarronería.

—¿Era divertido? ¿Parecía un poco loco?

Tía Mimi se hundió en la silla. No había tocado su plato de comida.

—John —dijo—. ¿A qué viene esto?

El muchacho fingió inocencia.

—A nada. Simple curiosidad —afirmó.

—¿Sí?

—Bueno... —cerró firmemente los labios después de beber un trago de agua—, es que hoy, viendo a los padres de los demás, me han venido algunas cosas a la cabeza. Me pregunto que si en caso de que estuviese muerto lo sabríamos nosotros.

—¡Jesús! —saltó la mujer—. ¡Qué cosas se te ocurren!

Él hizo un gesto propio de quien piensa haber hecho una pregunta normal.

—No veo qué tiene de extraño que me lo pregunte. Dejó a mamá, pero seguimos siendo su única familia o, al menos, así lo creo. Si hubiese muerto, ¿nos escribirían o algo así?

—Es posible, suponiendo que llevase encima algún documento, papeles. En caso contrario nadie tiene por qué saber nada. Puede haberse casado en algún otro lugar, y tener una nueva vida.

Se arrepintió al instante de haber dicho aquello, pero

ya era tarde. Para suerte suya, John no continuó ahondando en el tema. Terminó lo que quedaba en su plato y entonces dijo:

—Ayer leí que el padre de Marilyn Monroe la dejó cuando ni siquiera había nacido, y que jamás quiso saber nada de ella. Incluso en una ocasión, Marilyn le localizó y él pensó que quería pedirle dinero, así que le pegó media docena de gritos y la mandó de paseo. Lo pasó muy mal. Luego se hizo famosa y fue él quien la llamó.

Mimi Stanley le miró sin entender nada. Un interrogante en la historia que acababa de contarle se abrió paso en la niebla de su sorpresa.

—¿Y qué hizo ella?

—No quiso saber nada de su padre, por supuesto —dijo John con naturalidad—. A fin de cuentas, él tuvo su oportunidad y la perdió, ¿no?

Tía Mimi tuvo una intuición, pero no quiso confirmarla. Buscó una forma de escapar y, pensando en su hermana, acabó diciendo:

—Creo que yo también voy a acostarme un rato.

Se levantó. John se sonrió cálidamente. No había en él la menor señal de animosidad ni acritud. Sólo mostraba la imagen de un adolescente, vuelto sobre sí mismo. Podía creérsele o no.

Pero de ninguna forma dudar de él.

—Procura no hacer ruido, ¿quieres, cariño? —pidió tía Mimi.

# 45

EL Liverpool Art College ofrecía el inequívoco aire de un primer día de clase. Los veteranos se reencontraban y daban codazos, guiñándose con malicia al descubrir a las antiguas compañeras y a las nuevas incorporaciones. Los novatos miraban con cierto aire de respeto, esperanza y desasosiego el recinto en el que probablemente pasarían varios años, según la especialidad escogida. Unos y otros se entremezclaban en los minutos previos a la inauguración del curso. Ellos buscaban a la posible chica que les ayudase a hacer el camino. Ellas se unían, sintiendo su feminidad protegida y más deseada al verse todas juntas.

Libertad y juventud eran los componentes de la brisa poderosa que mecía aquella masa, como ondula las mieses en primavera.

Tenían un horizonte en común, y eran los componentes individuales de eso genérico que llamamos voluntad. Cabezas y manos soñando con ser artistas.

Soñando con llegar.

Y el primer día siempre era el más importante. Surgía en forma de velada respuesta a pasados interrogantes. Era el amanecer.

La alborada de un nuevo mundo.

—¡Eh, yo a ti te conozco!

John se detuvo. Ante sí tenía a un chico de su edad, emocionado y alterado. Se puso en guardia. Las bromas a los novatos siempre eran amargas.

—¿Ah, sí? —contestó a la expectativa.

—¡Eres de Los Quarrymen! —gritó el otro, abriendo más los ojos, aumentada su alegría—. ¡Te vi tocar un par de veces este verano! ¡Sí, seguro que eras tú! ¿Verdad?

Algunos los miraban. John se sintió feliz. Después de todo, había sido un duro verano. ¿Tenía algo de malo recoger las migajas de una incierta popularidad?

—Sí, soy de Los Quarrymen. Me llamo John Lennon.

—¡Chico, esto es fantástico! ¿Sabes que sois muy

buenos? Yo me llamo Alan, Alan Tanner. ¿Vas a estudiar aquí? ¿Qué especialidad?

La campana del Liverpool Art College convocó por primera vez a todos los alumnos. Había empezado el curso.

La manada de futuros genios se puso en movimiento, arracimada bajo el imperio del deber. Las puertas del destino se abrieron. La meta a conseguir arrasó miles de sueños locos. El primer día daba paso a la hora cero.

John Lennon sabía que el mundo era bueno.

*Beatles*
*1958*

# 46

—Es una buena canción. ¿Qué título le habéis puesto?

John y Paul intercambiaron una mirada.

—*Love me do* —dijo el primero.

—¿De verdad os gusta? Acabamos de componerla ayer mismo —completó la información el segundo.

El reducido grupo de amigos reunido en torno a ellos asintió con fervor. Por lo general no solían fiarse de los amigos, incapaces de hacer una crítica imparcial y técnica, como tampoco se fiaban de los enemigos, incapaces de echarles una mano.

En aquel caso, sin embargo, estaban casi convencidos de que eran totalmente sinceros.

De hecho, desde el mismo instante de ir dando forma a *Love me do*, habían sabido que era un buen tema, distinto, diferente de cuanto habían compuesto hasta el momento. Y eran más de cien canciones.

Más de cien.

—Una canción así tiene que venderse por fuerza —afirmó una muchacha llamada Sally—. ¿Por qué no lo probáis de una vez?

—¿Es que no lo comprendes? —le dijo John—. ¿Dónde quieres que vayamos Paul y yo solos? No hay grupo, no hay buenos instrumentistas, todo se ha ido al diablo.

—No puedo creerlo —insistió ella—. No sé dónde leí, o tal vez lo oí por radio, que como mínimo podían contarse doscientos grupos funcionando ahora mismo aquí, en Liverpool. ¡Si es una fiebre...!

—Paul tiene quince años y medio, y yo cumplí los diecisiete hace cuatro meses —suspiró John con amargura—. Casi todos los que saben tocar bien tienen por lo menos dieciocho o diecinueve años. Ninguno quiere saber nada de nosotros, y los que quieren no tienen influencia alguna.

Sally, como si hablase en nombre de los demás, preguntó horrorizada, enfatizando cada palabra:

—No vais a dejarlo, ¿verdad?

—No podríamos —Paul fue terminante—, pero, desde

luego, han sido dos años de darnos de cabeza contra la pared, y ahora estamos como al principio, sin nada, sin gente, sin actuaciones, aunque seamos capaces de escribir canciones como ésta.

Una compañera de Sally, una muchachita de doce o trece años llamada Hermione, puso ojos de ensueño al intervenir por vez primera en la conversación. Su voz atiplada se elevó por encima de las de los demás.

—Pues a mí, cuando cantabais hace un momento, me recordabais a los Everly Brothers —dijo—. Y ellos ni siquiera son un grupo: son dos, y se acompañan con las guitarras.

—Sabemos quiénes son los Everly —la atajó Paul, no demasiado cortésmente—. Lo sabíamos antes que tú, y también Buddy Holly, Paul Anka y todos los demás.

—No sé por qué te pones así —le recriminó Hermione.

—Porque esos dos son fantásticos, pero van de guapos, mientras que Los Quarrymen somos un grupo, un conjunto, ¿entiendes?

Miró a John para buscar apoyo, pero John parecía inmerso en sus pensamientos. Conociéndole como le conocía, supo inmediatamente que algo estaba pasando por su cabeza y se calló.

Lo que más necesitaban ahora era una idea impulsora, una idea que les devolviese las esperanzas.

# 47

LA idea no le gustaba demasiado.

—Sólo será temporalmente, mientras esperamos a que las cosas cambien —le animó John—. No podemos liarnos a cantar en solitario porque hasta los solistas llevan su grupo detrás, pero un dúo es distinto. ¿No oíste a los demás? Sonábamos bien. Hay que cuidar las voces al máximo y nada más.

—¿Y el material que tenemos compuesto, o las canciones que interpretamos? ¿Te imaginas cantando *Long tall Sally* a dúo?

John se desesperó.

—A veces eres absurdo —dijo—. Si no hacemos algo, nos quedaremos atrás, y cuando por fin podamos reunir a los dos o tres instrumentistas que nos hacen falta, será tarde: habrá mil grupos aquí, en Liverpool. Prefiero que formemos un dúo, que cantemos lo que sea, mientras podamos hacerlo, a encerrarme en casa sin hacer nada, salvo componer. ¿De qué sirve hacer buenos temas como *Love me do* si no podemos cantarlos? Estamos convencidos de que es una buena canción, ¿verdad?

Paul bajó la cabeza. John nunca le había visto en aquel estado, y se dio cuenta de que era parecido al suyo en otras épocas, cuando su ímpetu y sus deseos de hacer cosas chocaban con las limitaciones de la edad. Paul estaba igual que él cuando tenía entre quince y dieciséis años.

Por primera vez temió incluso perderle.

—Soy el líder de Los Quarrymen, ¿recuerdas? —insistió—. Pero la cosa está en que Los Quarrymen somos tú y yo: Lennon y McCartney. ¡Vamos, Paul, estoy seguro de que podríamos volver a actuar!

El disconforme se levantó. Por la ventana vio cómo la primera nieve se deshacía sin haber llegado ni siquiera a cuajar, aunque nuevos nubarrones se aproximaban por el oeste. Desde su posición, sin dejar de observar la calle y la indiferencia de la vida cotidiana, le dijo:

—¿Te acuerdas de aquel día, en la estación de Lime, cuando me hablaste de Liverpool y de Londres?

—Creo que sí.

—Fue antes del verano del año pasado —continuó Paul—. Resultó un buen verano, ¿no es cierto? Whalley nos encontró bastantes oportunidades. Lo absurdo es que ahora estemos así.

—¿A qué viene eso?

—A que finalmente te entiendo y sé que tienes razón. No hemos vuelto a tocar ese tema, pero me doy cuenta de que lo que dijiste era cierto: hay que lanzarse de cabeza para conseguir lo que uno quiere. No basta con estar seguros de nosotros mismos. Me imagino que ahora todavía no podemos, pero hemos de estar preparados para cuando llegue el momento.

—¿Hablas de romper con todo, independizarnos, dejar Liverpool, ir a Londres?

Paul se apartó de la ventana y se enfrentó a él.

—A Londres o a Nueva York, donde sea necesario. Es el único sistema.

John se acercó a su amigo. Era la única persona de una edad inferior a la suya que admiraba, respetaba y quería. Los dos hablaban el mismo lenguaje, y posiblemente tuviesen los mismos sentimientos.

—¿Y mientras tanto?

Paul se sonrió un poco forzadamente.

—¿Qué nombre quieres ponerle al invento del dúo? —bromeó.

—¿Qué te parece Los Nurk Twins?

# 48

No era tan introvertido como John, y buscaba una mayor comunicación con el entorno, pero, a pesar de todo, sentía el peso de aquella crisis y a su alrededor no veía más que caminos y puertas cerradas. Era como si el mundo adulto jamás hubiese pasado por la adolescencia, o como si pretendiese ignorarla, odiando aquello que ya no volvería para él, o poniendo obstáculos a los que venían detrás. Demasiadas veces había oído las frases de ritual: «Hicimos la guerra para daros un mundo mejor, así que aprovéchalo»; «¿sabes cuánta gente murió para que tú pudieses ser libre?»; «yo no pude estudiar, porque a los diecinueve años me pusieron un fusil en las manos»; «¿qué pretendes de la vida?».

¿Pretender? Quería componer, cantar, ser músico. Por lo general los «mayores», y ése era un término muy amplio que a veces englobaba ya a los de diecisiete o dieciocho años para arriba, le ponían una mano en el hombro y le sonreían. «¿Tocas la guitarra? ¿Estás en un grupo? ¡Oh, qué bien!». La única persona que conocía, capaz de agarrar el mundo con una mano y proyectarlo muy lejos era John. Mientras estuviesen juntos, todo iría bien.

Y nunca, nunca pensaban separarse.

Le quedaba mucho de escuela, y su padre jamás permitiría que abandonase los estudios. La fiebre del *rock* era una catapulta que cada vez pasaba más cerca y más lejos al mismo tiempo. El 57 había sido un apocalipsis, y el 58 prometía ser mejor. Y mientras, ellos daban vueltas en círculos, en un Liverpool agitado por la música. ¿Por qué en Inglaterra no era posible que un chico de dieciséis años fuese número uno como sucedía en Estados Unidos con Paul Anka y su canción *Diana?* Era como si los ingleses se autoexcluyesen. Los hijos de la clase obrera debían ser obligatoriamente los obreros del mañana. Tradición. Restos del Imperio. ¿No se daban cuenta de que una nueva generación acababa de ponerse en marcha, con un lenguaje, una vida y unas ideas propias? ¿No comprendían que el *rock*, la musica, era el cordón umbilical que los unía a todos? Doscientos grupos en Liverpool eran la mejor de las pruebas. Precisamente allí, en la ciudad más obrera de Inglaterra, en la más dura, abierta al mar y con el pesado lastre de su pasado, un pasado endurecido por el trabajo y la supervivencia. Los miles de chicos que esgrimían sus guitarras, agitando la bandera de sus sueños, significaban algo.

Eran la rebeldía del nuevo mundo.

«No queremos ser lo que vosotros queráis que seamos, sino lo que nosotros deseamos ser.»

La pregunta final no era si les dejarían, sino, simplemente, si podrían.

¿Estarían tan seguros todos, como John y él, de conseguirlo?

Los muros del Liverpool Institute High School semejaban las paredes de una alta cárcel. Los estudiantes perseguían un balón o buscaban el amparo del sol para sacudirse el frío de encima. A través de los distintos grupos, separados por edades y afinidades, podía entreverse un origen y la incertidumbre del futuro. Nadie se daba cuenta de la altura y la espesura de aquellas paredes. Las veían cada día. Formaban parte de sus vidas, en los años de escolaridad obligatoria. El horizonte que nacía al otro lado, se perdía a lo lejos, en algún confín necesariamente imaginario, porque desde allí no podía verse.

El peso de la depresión se afianzó más en él.

Se alejó del núcleo más bullicioso, buscando la soledad, y en la pequeña esquina arbolada escuchó las notas de una guitarra, surgiendo limpias y veloces entre los matorrales. Se aproximó sin hacer ruido, atraído por aquel sonido, y especialmente curioso por las manos que pudieran estarlo produciendo. Creía conocer a la mayoría de los melómanos de la escuela y, desde luego, ninguno era capaz de tocar con aquella limpieza.

Ni siquiera él.

Su sorpresa fue total.

Había visto muchas veces al protagonista de su asombro, aunque nunca le prestó la menor atención, porque iba dos cursos por detrás de él. Era un chico muy delgado que aún llevaba pantalón corto a veces, si no recordaba mal, con el cabello ensortijado y abundante por la parte superior de la cabeza. No sabía ni su nombre.

Pero sus dedos eran la mejor de las tarjetas de presentación.

Estaba sentado en el suelo, sobre la funda de la guitarra que asomaba por ambos lados. Tocaba la música de *Loving you*, uno de los éxitos de Presley el año anterior, con una naturalidad absoluta. Paul pensó que, o bien era la única canción que conocía y se la sabía de memoria, o aquel chico era sencillamente fantástico, especialmente tratándose de un crío.

Intentó aproximarse más, para verle las manos, la digitación, y un ruido rompió el encanto de la situación. El chico se sobresaltó, rota la concentración y la magia de su soledad. Miró al intruso con desconfianza, como suele hacer la mayoría de los estudiantes pequeños ante los mayores, y protegió por instinto su guitarra, quizá su más preciado tesoro. Sin embargo, el tono de su voz fue desafiante al preguntar:

—¿Qué quieres?

Paul se sentó a su lado, dispuesto a pasar por todo, emocionado por su hallazgo.

—Oye, ¿cómo hacías esos acordes?

—¿Tú no eres McCartney, el que está en Los Quarrymen?

—Sí —le confirmó con agrado, especialmente porque el otro comenzó a sonreír.

—Yo me llamo Harrison, George Harrison —dijo el chico—, y también soy músico.

# 49

EL rostro de John reflejaba todo el estupor que sentía.

—¿Qué? —gritó.

Paul agitó sus manos ante él.

—Deberías verle y oírle antes de echarme encima todo tu escepticismo, ¿vale?

—De acuerdo; supongamos que es tan bueno como dices —cambió la frase al ver el enfado reflejado en el rostro de su amigo—. Mejor dicho, es bueno. La pregunta es: ¿qué hacemos con él?

—¿Qué quieres decir?

—¡Tú mismo has dicho que va a cumplir quince años!

—¡Yo tenía catorce cuando nos conocimos, y me diste un puesto en Los Quarrymen! ¿Lo has olvidado?

John intentó ser convincente.

—Eso fue hace mucho tiempo. Tú tenías catorce, pero yo tenía entonces cerca de los dieciséis.

—No han pasado ni dos años —le recordó Paul.

—¡Estábamos empezando! Ahora es distinto, tenemos nombre.

—Un nombre que no sirve para nada, porque no hay grupo. Los Quarrymen no existen, ¿no lo recuerdas? Ahora somos Los Nurk Twins.

John dio media docena de pasos, agitado, intentando controlarse, al mismo tiempo que buscaba más razones de peso para convencer a su compañero. Lo único que se le ocurrió fue decir:

—Mira que eres duro de mollera cuando te lo propones.

—Ese Harrison es una joya, y le contratará cualquier otro conjunto en cuanto se dé cuenta de sus posibilidades —insistió Paul—. Es el guitarra más rápido y limpio que he visto, bastante mejor que tú y que yo con la solista.

El rostro de John se iluminó.

—¡Tú lo has dicho: otro guitarra! ¿Quieres decirme qué hacemos con otro guitarra? Lo que necesitamos es un bajo y un buen batería.

—Hemos hablado más de una vez de que yo podía pasar al bajo si era necesario, y tú seguir con la rítmica.

John se derrumbó sobre un saco, cansado de la dura batalla dialéctica. Dejó de gritar y optó por razonar, buen conocedor de la inquebrantable resistencia de Paul cuando se empeñaba en algo.

—Escucha —le dijo—. Tenemos un montón de problemas porque tú sólo tienes quince años y medio... Bueno, casi dieciséis, de acuerdo, y yo tengo un largo camino de ocho meses hasta los dieciocho. Estamos deseando que pase un poco de tiempo para ver lo que hacemos, así que, ¿dónde metemos ahora a un crío de quince años en todo esto? ¿No te das cuenta de que, por bueno que sea, puede retrasarnos aún más?

Paul se relajó.

—Yo sólo sé que deberías verle y oírle. Me contó que a los trece años se compró la primera guitarra por tres libras, y en unos meses ya había formado su propio grupo, Los Rebels, y debutaba en el Speke British Legion Club. ¿Te das cuenta? Con trece años nada más.

—Necesitamos completar el grupo otra vez, pero con gente que pueda enfrentarse al futuro libremente, sin cargas ni ataduras; lo comprendes, ¿no? —exclamó John.

Paul cerró los ojos. Una suave paz acabó por envolverlos, quemando los momentos finales de su tensión. Pensó con nostalgia en aquel chico de su misma escuela. Sus dedos, su agilidad, su buen humor, la forma de hablar y el entusiasmo por la música.

—Sea como sea, no voy a perderle de vista —acabó diciendo.

# 50

ABRIÓ la puerta de la casa y subió los peldaños de la escalera de tres en tres, hasta llegar al piso superior. Entraba en su habitación cuando escuchó la voz de su tía desde la planta baja.

—¡Johnny!

No tenía mucho tiempo, así que no contestó. Recogió la guitarra, rebuscó entre carpetas llenas de letras y partituras hasta dar con las que deseaba, y a la misma velocidad volvió a salir, dispuesto a bajar la escalera de un solo salto.

—Johnny, ¿no me has oído?

Tía Mimi estaba al pie de la escalera, impidiéndole no ya saltar, sino bajar, a no ser que pasara por encima de ella.

—Tía, tengo mucha prisa ahora —dijo bajando los peldaños de uno en uno—. Un tipo que tiene un club quiere hacernos una prueba a Paul y a mí para ver qué tal lo hacemos, y es urgente.

—Pero, John, se trata de...

—El grupo que tiene no puede actuar esta tarde, ¿sabes? —pasó por su lado y le dio un beso en la frente—. Dos de los cuatro se han puesto enfermos, y es una buena oportunidad. ¿Te imaginas una tarde de sábado sin música?

Llegaba ya a la puerta cuando su tía le detuvo con una simple frase. Tres palabras.

—Es tu madre.

John miró a la calle. Incrédulo, preguntó a su tía:

—¿Qué?

—Acaba de llamar desde la estación. Está aquí, en Liverpool, y viene para casa.

El muchacho apretó la guitarra. Fue un gesto instintivo, extraño, una defensa absurda ante un peligro imaginario, como si alguien quisiera arrebatarle el instrumento. Agarró el pomo de la puerta con mano trémula. Se le pusieron blancos los nudillos.

—Tía Mimi —musitó—, ahora no puedo quedarme. Esto es importante para mí.

Su tía le miró suplicante.

—Por favor...

—Ha llegado de improviso, sin avisar, así que yo no tenía por qué estar en casa, y tú no me has visto, ¿de acuerdo?

—Le he dicho que estarías aquí. Parecía tan...

John volvió a mirar a la calle. Paul le esperaba, y también una oportunidad más. Ni siquiera su madre podía hacer de imán capaz de apartarle de la música, de las escasas posibilidades que se le brindaban.

¿O sí?

—Tía, no puedo dejar de ir —le dijo en un tono que no admitía réplica—. Dile lo que quieras, pero yo he de marcharme. La veré esta noche. ¿O es que va a marcharse mañana mismo?

—Parecía muy contenta —dijo con voz queda tía Mimi—. Ha dicho algo de una sorpresa.

John libró la última batalla. Se dijo que una cosa no tenía nada que ver con la otra; amor y devoción, madre y música. Llegó a apartar de su mente el verdadero motivo de su huida.

—Quédate, John.

—Lo siento, tía —se decidió por fin.

Y cerró la puerta al reemprender su camino.

# 51

NO se alejó mucho de la casa.

No pudo.

Llegó hasta la primera esquina y en ella se detuvo, indeciso, notando la irrupción de la furia en oleadas sucesivas, cada vez más fuertes. Aquella furia tan característica, que le dominaba por entero, le impedía razonar, actuar.

Le esperaba Paul, y el tipo del club; sin embargo...

¿Cuánto hacía desde la última vez?

—¡Maldita sea! ¿Por qué? —se lamentó en voz alta.

Pensó que la pregunta correcta debía ser ¿por qué hoy?, y luego se dijo que hoy o mañana eran términos relativos. Pertenecían a un todo sin forma ni dimensión llamado, simplemente, ausencia.

Su madre regresaba. Una vez más.

Y él se sentía tan extraño, tan fuera de lugar, tan descentrado en el papel de hijo que espera a la madre que entra y sale siempre de su vida.

¿Se sentiría ella igual?

¿Tendría el mismo miedo que tenía él?

Dos extraños que la marea unía y desunía. Como la lluvia que se convierte en nieve, luego en hielo y finalmente de nuevo en agua y se mezcla con el barro de las calles. ¿Cuál era el papel exacto de cada uno?

—Vamos, vete —se dijo.

Permaneció inmóvil, como si le hubieran clavado al suelo.

Como cualquier chico de su edad, odiaba sentirse débil, rechazaba los sentimientos y las emociones que le hacían vulnerable. Pero ¿cómo poder evitarlo en el fondo de su intimidad, de su soledad? Odiarse por ser humano era una necedad.

Seguía tratándose de su madre.

Eso era lo irresistible.

El inmenso poder de la sangre y la singular fuerza de un amor que ninguna distancia podía matar.

Su madre, o su padre, tal vez.

Vio llegar un taxi por el extremo opuesto de la calle, y continuó inmóvil, protegido por los árboles y el buzón de correos. El taxi se detuvo en la puerta de la casa y, transcurrido el tiempo suficiente para pagar y recoger las vueltas, la portezuela se abrió y por ella apareció Julia Stanley.

Todavía hermosa, todavía anhelante de un futuro mejor, todavía mujer.

El corazón le latía muy aprisa, y sus intenciones anteriores iban cayendo una a una en un pozo sin fin, aniquiladas por algo llamado necesidad, sin que lograse saber de dónde provenía. Su madre atravesó la cancela y el jardín delantero de la casa. El taxi reemprendió la marcha.

La calle se quedó en silencio.

Tía Mimi salió de la casa.

—¡Julia! —la oyó exclamar.

John se rindió. No fue una derrota gradual, sino una entrega completa, una claudicación sin límites. De nada servía fingir, ni luchar en solitario contra uno mismo. Los perfiles de la verdad son cortantes, inequívocos, evidentes. Cuando los datos de esta evidencia llegaron a su mente, echó a correr hacia la casa.

Las dos mujeres se separaron al oír su voz.

—¡Mamá! ¡Mamá!

# 52

PENNY Lane, como siempre, abría sus puertas al bullicio dominical. Era una calle corta, pero de una vida intensa. Gente de todo tipo volcaba su ocio en ella. La vida era palpitante tras cada puerta o ventana, en las tiendas abiertas, e incluso en las cerradas. Las aceras se cargaban de pasos ilusionados por el gozo de vivir unas horas sin metas. La calzada recibía las últimas caricias de un sol primaveral. Unos pocos coches y bastantes bicicletas jugaban a buenos y malos en aquel extraño paraíso. El *pub* era el núcleo aglutinante de aquella dulce locura. La cerveza rubia o negra unía a hombres y mujeres como orillas de un mismo mar. El gozoso entrechocar de las jarras de John y Julia pasó desapercibido en medio de aquel bullicio. Pero sonó a campana de gloria en sus corazones.

—Por Los Nurk Twins —brindó Julia.

—¡Oh, no; en todo caso por Los Quarrymen! —rectificó John—. Lo de ayer no fue más que una de las muchas alternativas que tenemos Paul y yo. En cuanto completemos el conjunto, volveremos a ser Los Quarrymen.

—Sea como sea, me lo pasé bien, y no me arrepentí de que me arrastrases a aquel antro.

—No era un mal club.

—¡Dios mío! —se rió Julia Stanley— ¡Tuve que decirle a media docena que yo era la madre de uno de los que cantaban!

—¿Y eso es malo?

Ella dejó la jarra sobre la mesita que compartían.

—No, supongo que no. Fueron una tarde y una noche agradables, aunque casi no pudiésemos hablar. ¿Y Paul?

—Tenía cosas que hacer esta mañana.

—¿No te estaré haciendo perder el tiempo?

—Que no, mamá. No tengo nada que hacer hasta la tarde —John se calló—. Creía que te gustaría dar una vuelta.

La mujer extendió una mano y le tocó la mejilla derecha. El muchacho miró en torno suyo, un poco avergonzado por aquel gesto maternal. Pensó que posiblemente ello se debía a lo poco habituado que estaba a hacer de hijo.

—Tenía ganas de estar un rato a solas contigo y charlar —confesó Julia Stanley—. Está a punto de terminar el curso en la escuela de arte, ¿no es así?

—Me quedan tres semanas.

—¿Qué tal lo ves ahora?

—¿Qué quieres decir?

Temía que fuese una conversación trivial, una pregunta obligada como madre, de mero formulismo y cumplido. Ella le demostró por su vehemencia e interés que no era así.

—Supongo que ya tendrás una idea más aproximada de si te gusta o no. Al comienzo no me pareciste muy conforme, y pienso que te interesa más la música que cualquier otra cosa.

—Yo estoy a gusto.

—No te veo demasiado entusiasmado— indicó su madre.

—Imagino que estudiar arte es lo mejor que puedo hacer, pero..., bueno, no sé cómo decírtelo con palabras simples, para que lo entiendas.

—Tu anciana madre aún sabe razonar, ¿no te parece?

John pasó por alto la alusión. Quería hablar del tema.

—El principal problema, tal como lo veo yo, es que en la escuela de arte enseñan arte. Te parecerá un contrasentido, pero no lo es. Hay una serie de profesores y profesoras que te hablan de lo que fue, de técnicas, de historia, y ninguno es capaz de salir de las catacumbas del pasado. A mí me parecen muertos.

—¿No será que tú vives demasiado en el futuro, como siempre?

—Reconozco que ha de aprenderse todo lo hecho hasta hoy, y que en teoría y en la práctica, el arte no puede enseñarse. La escuela debería ser un elemento orientador para aquellos que tienen algo dentro, para los verdaderos genios. Sin sensibilidad, o con la mente cerrada, no puede intentarse nada. Lo malo es que son los mismos que enseñan los que parecen tener la mente cerrada.

—¿No eres muy duro?

—¡Son unos patanes, mamá! —se enfadó John—.

Supongo que si enseñan a los demás a ser artistas, en lugar de serlo ellos, es porque así disimulan sus propias frustraciones; pero nosotros... ¡Nosotros dependemos de lo que nos hagan o nos digan, y pueden desorientar a más de uno!

Un cliente le miró con interés. John arqueó las cejas.

—Según parece, vamos a tener un verano movido —apuntó Julia Stanley.

—¿Has dicho vamos?

Fue una duda que aquietó la complaciente y serena sonrisa de su madre.

—¿No te habló ayer tía Mimi de una sorpresa?

—Sí, pero luego supongo que se me olvidó.

—Y a mí también.

—¿Vas a quedarte aquí todo el verano? —preguntó John, comprendiendo que la posibilidad era cierta.

Julia Stanley asintió con la cabeza, sin dejar de sonreír.

—Todo el verano, y quizá algo más también —dijo—. Es posible que regrese a Liverpool, hijo, contigo y con Mimi. Tengo mucho que recuperar, ¿sabes?

# 53

JOHN y Paul le estudiaron atentamente. Tendría un año menos que John y su aspecto no desentonaba del exigible a un Quarrymen: bastante alto, casi tan atractivo como Paul, y movía las manos constantemente al hablar, inmerso en su propia vitalidad.

Había dicho llamarse Pete Best.

—Pero ¿sabes tocar la batería? —preguntó John interrumpiendo su oratoria.

—Estoy en ello, de verdad —asintió su visitante—. Necesito algunas lecciones, un par de consejos, y sobre todo meterme en un grupo. Por esa razón he venido a veros.

—Ya —dijo resignadamente John—. Quieres una oportunidad.

Pete Best se sintió ofendido.

—No se trata de eso, ¿sabes? Yo también tengo algo que ofreceros a vosotros.

John y Paul se inclinaron hacia delante.

—Algo ¿como qué? —preguntó John.

—Un club donde poder actuar todos los días, y cobrando bastante bien —respondió un poco poseído de sí mismo.

—¿Tú tienes un club? —se notaba la incredulidad en la voz de Paul.

—Yo no, pero mi madre está decorando el suyo.

A menudo solían recibir a algunos entusiastas locos o enterados pasados de onda. Eran chicos o chicas que se metían en sus vidas, hablando, dando consejos, diciendo lo bien que lo hacían o lo que necesitaban para ser mejores. Algunos querían tocar sin saber siquiera poner las manos en una guitarra. Otros buscaban la oportunidad de ganar dinero, creyendo que la música era el medio más fácil. Los más deseaban meterse en un grupo simplemente por el placer de rondar la fama y la admiración que eso despertaba entre las chicas. Ellos los escuchaban o no, pero terminaban desapareciendo. No había nada detrás de la primera pantalla. Aquel tal Pete Best era distinto.

Al menos parecía saber lo que quería, y el precio que estaba dispuesto a pagar por ello.

—¿Por qué no nos aclaras un poco ese lío? —le invitó John.

—Ya te he dicho que os vi actuar el verano pasado, un par de veces, y hace unos días también.

—¿Y qué?

—¡Pues que conozco vuestro problema! —saltó Best, muy seguro de sí mismo—. El año pasado llevabais un batería mediocre, y luego lo cambiasteis. Este año habéis pasado de batería y vais como dúo, pero sé que vuestra música no es de esa clase: lo necesitáis, y también un guitarra de bajos. Pues bien, yo soy el batería. Desde el primer momento me dije que tocaría con vosotros, y comencé a practicar. Sabía que podría lograrlo.

—¿Y lo del club?

—Mi madre ha comprado un local, nada del otro mundo, pero será bueno cuando acaben de adecentarlo y arreglarlo, como La Caverna. Vamos a ponerle de nombre La Casbah. Está dispuesta a ofrecer actuaciones, y si yo soy el batería de un conjunto, ¿no creéis que una madre hará lo que sea por el éxito de su hijo?

Sonreía abiertamente, con la seguridad de quien sabe que dos y dos suman cuatro. John y Paul comenzaron a darse cuenta de la realidad, y de que aquel novato hablaba en serio.

—¿Cuándo tiene pensado tu madre inaugurar el club?

—A finales de agosto.

—Sólo nos quedan dos meses —comentó Paul—. No es mucho tiempo para conjuntarnos.

—Especialmente si aún nos falta otro miembro por lo menos —señaló Pete Best.

John dirigió a Paul una mirada de desconcierto, preñada de dudas.

—Espera un momento —empezó a decir.

Paul arqueó las cejas. No hizo falta que hablase. John comprendió que tenían una oportunidad importante, la última si querían hacer algo durante el verano y ganar algún dinero. De hecho, Pete Best era lo menos importante. Podía apostar que habían tocado con baterías peores.

Se trataba de resistir.

—Dos meses —repitió Best.

Acorralados y desesperados. Nada que perder y mucho que ganar. John se dio por vencido, impulsado por su instinto. Ahora la realidad pasaba por la rápida y nueva reestructuración del grupo.

—¿Qué hay de aquel guitarra, Paul? —preguntó.

—¿Harrison?

—Sí.

Paul le guiñó un ojo.

—Localizable y libre —aseguró.

—Entonces, llámale. A ver si mañana podemos tener una primera toma de contacto.

Pete Best se movió nerviosamente. Se centraron en él las miradas de John y Paul. Renacía la voluntad de seguir adelante. Tartamudeó al decir:

—¿Esto... esto quiere decir que ya soy un Quarrymen?

# 54

GEORGE Harrison era tan alto como ellos a pesar de su edad, y vestía de forma adecuada. Tenía cierta clase, y una mirada inteligente, despierta, abierta y espontánea. Era nervioso, pero en cuanto sus manos tocaban la madera de su guitarra, se tranquilizaba. Dejaba vagar su mirada por el local mientras John se empeñaba en aclararle unas cuantas cosas.

—Paul ya me ha hablado de todo eso —dijo por segunda vez—, y estoy de acuerdo. ¿Cuándo empezamos?

John buscó con la mirada a Paul, pero éste se limitó a encogerse de hombros, en un claro gesto que quería decir: «Tú eres el jefe».

—Comprenderás que hemos de estar seguros —insistió John.

Las manos de George recorrieron una escala de notas de forma rápida y precisa. John parpadeó ante esa improvisada demostración. El recién llegado parecía vivir ajeno a la trascendencia del momento.

—¿Puedes tocar algo para convencerle?

—Claro que sí. ¿Qué quieres que toque?

—Da lo mismo, cualquier cosa. Es sólo para tener una idea —dijo John.

George Harrison aseguró la guitarra entre sus manos. Miró al techo y luego cerró los ojos. John, Paul y Pete Best, se aproximaron curiosos, sentándose a su alrededor.

El guitarrista empezó a tocar *Rebel rouser*, el éxito de Duane Eddy, considerado como el primer y mejor guitarra solista del *rock and roll*. Fraseó sobre la entrada, iniciando el tema, interpretando perfectamente el original, y luego entró la melodía hasta alcanzar el núcleo central, el estribillo o *tempo* más conocido de la canción. Superado éste, no se contentó con copiar la forma y el estilo de Eddy, sino que improvisó unas notas adicionales de su propia cosecha y arropó la salida con un enfático trémolo que cortó en seco.

Concluida su demostración, abrió los ojos y con toda tranquilidad se enfrentó al veredicto de los otros tres, especialmente de John.

Ninguno podía disimular su impresión.

—Eso ha estado muy bien —ponderó John.

—Ya lo sabía —contestó George—. ¿Hacemos algo todos a ver qué tal suena?

Pete se sentó a la batería y Paul tomó su guitarra. John fue el último en reaccionar, todavía tratando de catalogar al nuevo elemento, sin saber si tenía nervios de acero o se trataba de una pose muy bien estudiada. De lo que no cabía la menor duda era de que Paul tenía razón: era el mejor guitarra que había conocido.

—¿Qué le pasó a tu grupo? Se llamaba The Rebels, ¿no?

—Éramos unos niñatos —aclaró George chasqueando la lengua—. Y eso que sonábamos bastante bien. ¿Qué tocamos?

Daba la impresión de vivir por y para la música. John se sintió más relajado y tranquilo.

—¿Conoces *Sittin' in the balcony*, de Eddie Cochran? —le sugirió—. Tiene un buen solo central.

—Sí; es muy buena.

—Entonces, de acuerdo; yo marco el ritmo y Paul hace el contrapunto con Pete. Tú te manejas solo, a tu aire. En cuanto a la voz, yo hago la primera y Paul la segunda.

—Puedo acompañar a Paul en su parte vocal —apuntó George—. Se me da bien cantar.

—De momento vamos a ver qué sale, ¿eh? —dijo Paul, deseando comenzar cuanto antes.

John paseó una preocupada mirada por su nuevo grupo. En vez de estar actuando en un club, ensayaban por primera vez con un batería que no lo hacía del todo mal, para su sorpresa, y un guitarra de quince años y medio. La Casbah de la madre de Best esperaba para finales de verano. Nunca pensó que las cosas se iban a desarrollar así.

Un largo y espinoso camino, pero con futuro.

—De acuerdo, vamos allá —propuso.

Y entró el ritmo inconfundible de *Sittin' in the balcony*.

Durante dos minutos y medio, a pesar de que Pete Best se equivocó tres veces, y él estuvo más pendiente de la nueva incorporación que de otra cosa, se dio cuenta de algo. Y fue como siempre su instinto, tanto o más que la realidad de lo que veía y oía, el que le dio la clave.

George Harrison tocaba bien, firme y seguro, y su voz se compenetraba perfectamente con la de Paul, y hasta con la suya si era necesario. Era lo mismo el que tuviera quince años y medio o treinta.

Era un Quarrymen.

Cuando acabaron de tocar, mientras Paul decía que sí con la cabeza y Pete sonreía entusiasmado, John se limitó a decir con premeditada indiferencia:

—Vale, te quedas.

No hizo falta más para desatar el entusiasmo de todos.

# 55

¿CÓMO podían cambiar tanto las cosas?

¿Y en tan poco tiempo?

Un mes antes Los Quarrymen apenas si existían: eran Paul y él. Un mes antes no sabía nada de su madre, como tantas otras veces. Un mes antes veía extenderse ante él el erial de un maldito y absurdo verano. Un mes antes todo estaba bloqueado a su alrededor, y la vida que seguía adelante se le escapaba como el agua vanamente aprisionada entre sus manos, alejándose más allá de un horizonte que nunca conseguía alcanzar.

Ahora su madre estaba en casa, George era el mejor guitarra que Los Quarrymen habían tenido y Pete Best se adaptaba igualmente bien a su puesto de batería; un trabajo les estaba esperando en cuanto se inaugurase La Casbah, y el verano, en suma, volvía a recobrar su color de fiesta.

¿Se convertiría todo en un camino de rosas, algún día, si conseguían grabar un disco o un cazatalentos los descubría y les ofrecía una oportunidad en televisión? ¿Consistía en eso el misterio de la vida? La frustración de hoy era la energía de mañana; el golpe de ayer, la experiencia del presente. ¿Lo veía todo de otro color por la racha de buena suerte, o era simplemente eso: una cima para bajar luego a un valle profundo, en ese juego de exaltaciones y depresiones?

Era un momento decisivo, ¿o era simplemente una ilusión que él quería forjarse? Había hablado con Paul tantas veces de su destino, de la música, Londres, el éxito...

Y ahora era como si todo estuviese cerca, muy cerca.

Podía casi verlo, tocarlo, sentirlo.

Julio descargaba una incipiente oleada de calor, un tiempo seco y maravilloso en el que apetecía bañarse. Lamentablemente para ellos, los ensayos eran lo primero. Conjuntar el repertorio, ensayar, perfilar las versiones de los éxitos del momento, tanto como los temas propios. El local de ensayo se había convertido en su casa.

Y a ninguno le importaba.

—¡Jesús! —se repitió en voz alta—. Pero ¿cómo pueden cambiar tanto las cosas?

# 56

ESPERÓ a que su madre abonase la cuenta y atenazó el paquete con un solo brazo.

—Ten cuidado, no se te vaya a caer —le dijo ella.

—Tranquila.

Julia Stanley recogió la vuelta. Iba a reunirse con su hijo, que esperaba casi en la puerta, cuando vio que éste agitaba su brazo libre saludando a alguien. Siguió la dirección de su mirada y se encontró con un hombre bastante joven avanzando hacia él.

—John, ¿cómo va todo? —saludó el recién llegado—. Iba a llamarte hoy para un par de cosas, suponiendo que tengas conjuntados ya a los nuevos. ¿Qué tal?

—Son los mejores que he tenido —aseguró él—. ¿Tienes algún contrato? Falta todavía un mes y medio para lo de La Casbah y no nos vendría mal actuar en directo.

—De eso quería hablarte precisamente.

Julia Stanley se detuvo ante ellos. John volvió la cabeza al verla y los presentó.

—Mamá, éste es Nigel Whalley, nuestro agente. Nigel, ésta es mi madre.

El hombre estrechó su mano haciendo una ligera reverencia. Los tres se quedaron luego momentáneamente desconcertados, en mitad del paso. Julia Stanley rompió la tensión forzando una sonrisa cortés. Se hacía tarde.

—Voy ahí enfrente, no te preocupes —le indicó a su

hijo—. Habla lo que tengas que hablar con tu amigo y nos reuniremos fuera cuando termines, ¿de acuerdo?

—Está bien, mamá.

Julia Stanley volvió a estrechar la mano del agente de Los Quarrymen.

—Procure que los contratos sean de un millón de libras —bromeó.

Después salió a la calle.

Los dos la vieron cruzar la calzada, sorteando el tráfico de mediodía, hasta llegar a la otra acera. Nigel Whalley miró a John.

—Creía que tu madre estaba en Londres —dijo.

—Ha venido para pasar el verano, y seguramente para quedarse.

—¿Y eso es bueno o es malo?

John no entendió la alternativa.

—Bueno, por supuesto. ¿Por qué?

—Ya hace tiempo que nos conocemos, y eres una persona bastante independiente. Pensaba que podía haberte estropeado los planes.

—Te aseguro que nada va a estropeármelos ahora, Nigel.

—Me alegro, porque hay perspectivas —dijo Whalley volviendo al tema inicial de la conversación.

—¿Vamos a tocar en La Caverna?

—Apostaría algo a que lo haréis muy pronto.

Al otro lado de la calle, Julia Stanley salió de la tienda en la que acababa de entrar, sin haber comprado nada. Iba ensimismada en sus pensamientos, con la mirada vagamente perdida en el suelo.

—Venga, ¿de qué se trata? —preguntó John.

Su madre abandonó la acera y pisó la calzada.

—¿Has oído hablar de un tal Nathan McDaniels? —preguntó Nigel Whalley.

—Julia Stanley llegó casi a mitad de camino. Un autobús se detuvo en la parada. Por detrás apareció el coche.

—No, ¿quién es? —se interesó John.

El coche hizo la maniobra, y acudiendo a una cita maldita con el destino, Julia Stanley se cruzó en su camino.

Indefensa.

Primero fue un grito de algún testigo, luego un golpe

seco, duro, sordo como el estallido de una vida rota en su mismo silencio; finalmente, el chirrido de unos frenos.

Y el alboroto de la calle.

Pasos, agitación, la respuesta ante lo inevitable.

—¡Eh!, ¿qué pasa ahí? —dijo John mirando en dirección a la calle.

Nigel Whalley estaba pálido.

—¡Dios mío, John! ¡Es tu madre!

# 57

SE abrió paso entre la gente, arremolinada frente al espectáculo, dando codazos y gritando. En la ruleta de la vida, un jugador había perdido una vez más.

—¡Mamá!

Julia Stanley yacía bajo las ruedas de un coche negro, tan fúnebre como su quietud. Sangraba abundantemente por las heridas de su cabeza; se estaba formando un charco rojizo sobre el sucio pavimento. John se arrodilló a su lado.

—Mamá... —balbuceó.

—No la toques, chico —le dijo alguien—. Podría ser fatal.

Pero él no le oyó.

Ya no podía oír nada, salvo el canto de cisne de sus sueños.

Una burla lejana repiqueteando en el interior de su cabeza.

—Mamá..., por Dios..., no...

Llegó más gente, y desde alguna parte se oyó un silbato policial. Las sombras danzaban alrededor del escenario, en cuyo centro, inmóviles, los protagonistas de la tragedia hacían el mutis final.

—Ha salido de ahí... No la he visto... —se lamentó una voz de hombre—. ¡No he podido frenar a tiempo, Jesús bendito!

—Eso se lo dirá a la policía —gritó alguien furioso.

—¡Soy policía! —gritó el hombre—. Ha sido un desgraciado accidente.

Julia Stanley movió los ojos.

—Mamá... —repitió una vez más John.

Ella intentó hablar, o por lo menos sus labios se movieron. En sus ojos apareció un destello, y tras él una sombra. Quiso centrarlos en su hijo. No la obedecieron. Se sumieron enseguida en una oscuridad total.

John la abrazó.

—No la toques, chico —dijo de nuevo la voz de antes—. Podría ser fatal.

El tiempo se detuvo. La gente se movió, pero nadie se arrancaba del sitio. Eran testigos impotentes del desastre. Iban y venían a impulsos de la corriente: pensamientos, horror, frases hechas, piedad, lástima. La policía acabó empujándolos, disolviéndolos, pero ¿cómo hacer desaparecer las olas de un mar? Se oyeron sirenas. ¿Un médico? No, ninguno de los presentes era médico. Alguien trató de levantar a John.

Pero él hundió sus ojos llenos de lágrimas en el intruso, un agente obeso de cabello blanco. El hombre retiró sus manos, como fulminado por aquellos ojos.

Detrás de John, Nigel Whalley dijo:

—Déjele, es su madre.

De pronto el tiempo echó a andar de nuevo. Apareció una ambulancia, y con ella otros hombres, que levantaron a Julia Stanley del suelo y la pusieron en una camilla. John sujetó una de las manos de su madre. Hacía mucho calor, como correspondía a mediados de julio, y, sin embargo, la notó muy fría.

—Aún vive —afirmó uno de los hombres de blanco.

—Rápido, rápido —dijo otro.

John no dejó aquella mano.

Metieron a su madre en la ambulancia. John la acompañó. Los hombres no pudieron evitarlo, ni lo intentaron. John ocupó un asiento junto a su madre mientras ellos le prestaban los primeros auxilios, una peregrinación desesperada por aquel cuerpo desfallecido. El color rojo comenzó a manchar la blancura inmaculada de la sábana de la camilla.

—Vámonos cuanto antes.

El tiempo corría con la rapidez de la ambulancia, surcando las calles de Liverpool bajo el aullido de la sirena que se abría paso igual que una voz en el silencio, hecho de espacio, tiempo, ambulancia, sangre, Julia, John y la impotencia de unos hombres.

—Mamá... —pronunció por última vez.

El enfermero le miró. Todo el repentino y súbito cansancio que sentía se concentró en un punto. Un peso inmenso le atenazó, aturdiéndole bajo el efecto de una presión insostenible.

—Lo siento, muchacho.

John acarició la frente de su madre. Sus ojos estaban entrecerrados.

—Ha muerto —dijo el hombre.

La ambulancia se detuvo.

Y ya no importó.

Le cerró los ojos y se inclinó para besarla. La abrazó y sus lágrimas se mezclaron con el silencio que la envolvía. La apretó contra sí con todas sus fuerzas y recibió como respuesta el vacío.

Alguien puso una mano sobre su cabeza. Ya nada tenía valor ni sentido.

Era el fin.

# 58

Paul paseó su mirada por el negro reclamo de la guitarra, desde el mástil a la caja, sin atreverse a tocarla. Era como si en aquel momento tuviese miedo de hacerlo, como si un simple gesto pudiese liberar el caudal de armonías contenidas en sus cuerdas, retenido en cada traste u oculto en su profundidad. Un deseo cercenado.

Imposible.

—John, ¿qué vamos a hacer?

—No lo sé. Ya no lo sé.

—No puedes dejarlo ahora.

—No puedo dejarlo, y tampoco sé cómo seguir.

—Sabes que esto pasará.

—¿Cuándo?

Paul sostuvo su mirada, su expresión desconcertada.

—Cuando tú lo decidas.

—No sé si estoy preparado para ello ahora mismo, o si lo estaré mañana, la semana próxima, el mes que viene. No lo sé. Sigo preguntándome por qué tenía que suceder, precisamente cuando todo iba tan bien —sus ojos se empequeñecieron detrás de las gafas y su voz se llenó de inquietudes al preguntar—: ¿Crees que ése fue el precio?

—¿Qué quieres decir?

—El precio de que todo funcionase, la seguridad de que estábamos en el buen camino, con George y Pete en el grupo. ¿No dijo alguien que hay que pagar por todo en esta vida?

—¡No seas ridículo! —protestó Paul.

—¿Y tu madre? Tuvo que morir para que te integraras de verdad en el conjunto. Tú mismo lo dijiste. Murió ella, te desfondaste y un día apareciste con una guitarra nueva, gritando que por fin lo veías todo claro.

Paul vio un resquicio.

—Suponiendo que sea así, yo al menos superé la catarsis. Tú, en cambio, llevas dos semanas sin saber qué hacer, rompiéndote la cabeza contra un muro de incertidumbres. ¡Los dos hemos perdido a nuestra madre, maldita sea, y ahora nos toca vivir a nosotros! ¡La vida sigue!

—Tú la tuviste contigo siempre. Yo ni siquiera la conocía bien. Era ahora cuando al fin podía...

—¿Y cómo ibas a luchar contra el tiempo? Estábamos hablando de ir a Londres, de dejar Liverpool, de comenzar de verdad. Precisamente ahora es cuando ya no tenemos más remedio que hacerlo. ¡Es nuestro turno!

—Siempre tuve la esperanza...

Paul se sentó a su lado y pasó un brazo por sus hombros. Sus palabras fueron como descargas eléctricas.

—¿De que tu padre volviera? ¿De que tu madre se quedase? Nunca te dejaron escoger, nunca. Y no me preguntes si eran buenos o malos, porque no lo sé, ni lo sabes tú tampoco. Lo único cierto es que ahora, por fin, puedes hacerlo y no porque él siga lejos y ella esté muerta. Puedes escoger, simplemente, porque ha llegado tu momento, ¡nuestro momento! Ya no tenemos once o doce años. Tú cumples los dieciocho en octubre, dentro de dos meses, y eso no lo hubiera cambiado ni tu madre siguiendo viva, aunque se quedase aquí en Liverpool. Tenemos una oportunidad el día veintinueve, en la inauguración de La Casbah, y ya no dejaremos que se nos pase ninguna otra, ¿de acuerdo, John?

Le obligó a mirarle. Vio el mismo rostro, la misma nariz aguileña, los mismos ojos diminutos detrás de sus gafas, los mismos labios afilados. Pero vio también una nueva luz, una desconocida expresión de madurez.

El cambio final.

—¿De acuerdo, John? —repitió.

—Estoy solo, ¿verdad?

—Sí —reconoció Paul aceptando aquel enfoque—: Estás solo.

John tomó la guitarra.

Se hizo uno con ella.

Toda la música que llevaba dentro se agitó, se rebeló en su angosto encierro. Cada canción no escrita y cada actuación no ejecutada, cada sueño y cada esperanza, nuevamente impulsados.

El niño, el joven Lennon del pasado, quedaba atrás.

En su lugar nacía el John Lennon del presente y el futuro.

—De acuerdo, Paul.

# 59

LAS luces desparramaban su propio bullicio, silencioso y cambiante. Entre bastidores, a un lado del diminuto escenario abierto a la gente que bebía y charlaba, los ojos atisbaban al frente, escudriñaban reconociendo caras y adivinando otras. Apenas si se cabía.

El acontecimiento giraba en torno a sí mismo, proyectándose con las bambalinas de la expectación hacia la cumbre de su magia. Público, bebida, ambiente, voces, luces, todo formaba parte del mismo halo. Había algo, un flujo y un reflujo, y el escenario vacío seguía siendo el destino de lo desconocido.

El grupo de ojos palpitó.

—Ha venido Groovey, y Shelly, y Mayer...

—Y Gladys y Debbie.

—Hay ambiente, será una noche grande.

La señora Best salió de alguna parte, como una criatura de las sombras.

—Os toca, chicos —anunció—. Espero que me hagáis quedar bien.

John dibujó una de sus irónicas sonrisas en sus labios.

—Si salimos a hombros, mañana valdremos el doble, se lo advierto —dijo.

—Me conformo con que no haya destrozos —dijo ella en tono desenfadado—. Confío sólo en dos cosas: que no os metáis con la gente y no escupáis.

—Somos unos chicos finos —insistió John, acentuando su sonrisa.

—¿Vamos ya?

John, Paul y George miraron a Pete Best. Era el más nervioso. No era un mal batería, pero le faltaba algo, algo que ellos tres sí tenían y eran conscientes de poseer, aunque ignorasen todavía su nombre.

—Tranquilo, Pete —dijo John—. Aunque hay muchos conocidos nuestros, la mayoría ni nos conoce. No somos la atracción principal: la atracción es el club y su inauguración.

—Querrás decir que todavía no somos la atracción principal, ¿no? —dijo muy serio Paul.

—Por supuesto —rectificó John—. Me refería a este momento. Dentro de un rato seremos las estrellas, y toda esta pandilla de ignorantes estarán agradeciendo su suerte.

George, que trataba de aparentar la edad que no tenía, acompañó a Pete.

—Entonces será mejor que salgamos, antes de que estén demasiado borrachos para vislumbrar siquiera su suerte.

Recogieron sus guitarras y se agruparon. Los últimos nervios reales aparecieron en la piel, como molestos forúnculos, hasta reventar y desaparecer. Olvidaron las últimas bromas y callaron. No era un debut, una primera vez, pero sí era la presentación del nuevo grupo, con George y Pete. Vestían de negro los cuatro, pantalón y cazadora de cuero. Y era posiblemente su primera actuación importante. La Casbah, en Heyman's Green, estaba llena a rebosar.

Para ellos, la historia comenzaba a tomar forma.

La madre de Pete Best salió al escenario, donde esperaban la batería y los altavoces dispuestos para que cada guitarra conectase con ellos. La gente no dejó de hablar, reír y beber.

—¡Y ahora... —gritó la mujer por encima del bullicio—, El Casbah Club tiene el placer de presentaros...!

Algunas voces decrecieron. Los amigos y amigas del conjunto corearon su nombre antes de hora. Otras voces se unieron al entusiasmo de las primeras.

La señora Best esperó.

Y cuando los últimos murmullos se desvanecieron, su grito fue el aldabonazo a la puerta del primer cielo:

—¡Los Quarrymen!

# 60

TÍA Mimi ya no lloraba, al menos intentaba no hacerlo, pero los restos de las lágrimas todavía se notaban en sus ojos, en el brillo de los mismos después de cada parpadeo. Se movía y, sin embargo, su espíritu permanecía quieto, como anclado al suelo que pisaba, a modo de latente protesta o decepción final. Sus manos eran el reflejo de lo que sentía, unidas, atrapando la inquietud, enraizando la protesta, la queja que moría en la dolorosa impotencia de los ojos.

—¿Estás seguro de lo que haces, Johnny?

Era la enésima vez que sus labios formulaban la misma pregunta. A pesar de ello, John no se enfadó. Dejó la última caja de discos en la entrada y, antes de volver a subir la escalera, le dijo con cariño:

—Claro que sí, tía. Todo irá bien.

Desapareció escaleras arriba, volviendo a su habitación. Durante los escasos momentos de su ausencia, ella paseó su mirada por las cajas, que casi llenaban el vestíbulo de la casa: discos, libros, ropa, recuerdos, las dos guitarras, el equipo de música. Cada pedazo de la vida de su sobrino, empaquetado debidamente para abandonar la casa.

El adiós.

John bajó de nuevo la escalera, con otras dos cajas de libros y unas carpetas de dibujos bajo el sobaco.

La carpeta resbaló al bajar John los últimos peldaños y cayó al suelo, esparciendo viejos y nuevos dibujos, imágenes trazadas por una mano infantil siete u ocho años antes, y cuadros bellamente diseñados en el primer curso de la escuela de arte.

Tía Mimi se agachó para ayudarle a recogerlos.

—Sabes que podrías quedarte aquí igualmente —susurró—. Nunca me he metido en tu vida y no lo haría ahora que vas a cumplir los dieciocho. No sé por qué tienes que irte.

Se pusieron en pie y él la abrazó. Ella se refugió en su

154

calor humano y en aquella fuerte protección, juvenil y llena de energía.

—Ya te lo he contado varias veces, tía —insistió John con cierto pesar—. Simplemente debo irme, y vivir mi vida. He de estar solo, ¿comprendes?

—No, no lo comprendo. Ésta es tu casa.

—Y no habrá otra, te lo juro.

—Además, no me gusta Gambia Terrace.

—No es tan mal lugar. A mí me parece que es justo lo que necesito, y puedo pagarlo. Está cerca de la escuela de arte.

Tía Mimi pasó una mano por sus cabellos, excesivamente largos. Tuvo el presentimiento de que, al hacerlo, un sinfín de notas musicales caía de ellos, tintineando a su alrededor, hasta desaparecer en el aire, no sin antes haber forjado una tenue melodía. En parte odiaba la música que, creía, se llevaba a John. En parte odiaba la fatalidad, que, después de todo, le arrancaba de su lado.

El compromiso, adquirido muchos años antes, tocaba a su fin.

Primero Alfred, luego Julia, finalmente...

—Sólo espero que sepas lo que haces —insistió.

—Todo irá bien ahora —afirmó John—. El grupo parece que funciona, y tenemos planes, salir de Liverpool..., cuando acabemos la escuela, claro —se apresuró a decir—. Es el momento justo, ¿sabes?

La puerta de la calle se abrió y apareció Paul.

—Ya está ahí fuera la furgoneta. ¿Voy cargando?

—Sí, yo voy enseguida —le dijo John sin moverse.

Paul agarró las dos cajas que tenía más cercanas y desapareció. John abrazó a su tía y le dio un beso en la frente. La mujer hizo esfuerzos para no llorar. Intuía que lo peor llegaría después, al cerrarse la puerta, y por la noche, al no preparar la cena para él, o por la mañana, al entrar en su habitación vacía y no poder despertarle.

—¿Vendrás a verme, Johnny?

—Claro que sí, ¿cómo puedes dudarlo? Somos de la familia, ¿no?

—Te quiero, hijo.

Le costaba exteriorizar un sentimiento, salvo cuando lo hacía mediante la música. Ahora sabía que necesitaba hacerlo, como un regalo, un tributo a la mujer que había sido su madre durante más tiempo que la suya propia. La pobre, buena, solícita y encantadora tía Mimi.

—Yo también te quiero, por ello no quiero hacer de esto una despedida —dijo con un nudo en la garganta.

Volvió a besarla en la frente y no se movieron hasta que Paul reapareció en la puerta.


# 61


PAUL paseó una mirada cargada de emoción por las vacías paredes. La última de las cajas descansaba ya en el suelo del piso y ellos, jadeantes pero felices, se tomaban su primer respiro del día.

—Esto está muy bien, en serio —ponderó con satisfacción—. ¡Ojalá yo pudiera hacer lo mismo!

—Has de esperar tu turno, pequeño —bromeó John.

—Vete al diablo. ¿Quieres que empecemos a ponerlo todo en su sitio?

—No, por hoy ya está bien. ¿Qué hora es?

—Cerca de las dos. George no tardará en venir.

John no se movió. Sentado en el suelo, con la espalda apoyada contra la pared y de cara a la ventana abierta sobre Gambia Terrace, se dejó invadir por una extraña sensación de paz. Quiso zambullirse en aquella realidad: se encontraba en su propio piso. Algo estaba cambiando de una vez para siempre.

Era feliz.

—¿En qué piensas? —le preguntó Paul.

—En nada. Tenía la mente en blanco.

—Venga, hombre, dime lo que se siente en este momento —insistió Paul.

¿Sentir? Podía sentir un océano de impulsos cuando

componía una canción, o cantándola en público. Era como vivir diez, cien vidas. Cada pequeña parte formaba un núcleo en torno al cual giraban otras y otras más. Eso era sentir, y sacar fuera cada ángel y cada demonio. La música creaba el entorno, y era la vieja carretera amarilla, la misma que conducía a Oz, la que se abría paso hasta los confines de su ser y desde allí a todas direcciones.

Mientras que en aquel momento... Tal vez el piso fuese ese confín. Allí partía de cero. Aquellas paredes oirían su voz y serían testigos de cada pequeño o gran momento. Canciones, amor, música, libertad.

—Recuerdo que una vez me dijiste que lo conseguiríamos —dijo John.

—¿Qué tiene que ver eso...?

—Es lo que siento —siguió él—. ¿No querías saber lo que siento? Pues es esto, ni más ni menos: vamos a conseguirlo.

El rostro de Paul se iluminó.

—¿Estás seguro?

—Sí. Cuando murió mi madre, me dijiste otra cosa: que estaba solo, y ahora me doy cuenta de que es así. Estoy solo y no dependo más que de mí mismo. Está el grupo, nuestra música, pero yo ya no tengo lazos. Si esto no sale bien, ¿qué demonios me queda? Por eso sé que saldrá bien. Mi madre murió por algo.

—No, John, eso no es verdad —objetó su amigo.

—Necesito creer que fue así, ¿no lo entiendes? Es parte de la situación, la clave. Toda la vida la necesité, y no la tuve. Ahora, sin embargo, se acabó, ya no hay madre, ya no existe. He dejado de necesitar y de depender. Sé que ése es el precio, y yo lo he pagado con creces. ¿Qué otro sentido tendría si no?

—No dejes que una obsesión como ésa te haga daño —le previno Paul.

—¿Daño? —John pareció reír sin risa—. ¡No, claro que no! Ni siquiera es una obsesión como piensas. Yo más bien lo veo como un impulso; sí, un impulso, algo que te obliga a seguir adelante. Por eso sé que no vamos a fallar, porque no podemos.

—¿Así que hoy comienza de verdad todo?

—Sí.

—Directos a la fama.

—Sí.

—Los Quarrymen.

—Con este u otro nombre —dijo indiferente John—. Puede que debamos cambiarlo para comenzar realmente.

Paul se inclinó hacia delante.

—¿Has pensado alguno?

—Tengo varios.

—¿Sabes? Yo también —le sonrió Paul.

—Dime uno —le pidió John, rompiendo el embrujo de la atmósfera sutil en que habían estado inmersos.

—Tú primero. Eres el jefe.

—Johnny y los Moondogs.

—Beat Brothers.

—Silver Beatles.

—Nurk Twins. Ha terminado por gustarme.

—Beatles.

Paul no aportó ninguno más. El último pronunciado por John flotó entre los dos, esparciendo resonancias luminosas por el piso. No fue una revelación, ni siquiera un estallido. Sólo fue un nombre.

A la espera de su hora.

—Sea el que sea, será fantástico —opinó Paul.

# 62

LA observó con atención.

Era la primera vez que la veía por la escuela de arte. Seguramente era una de las nuevas incorporaciones del nuevo curso. Rubia, no demasiado alta, relativamente bonita. En todo caso, ideal para él.

Encajaba en sus gustos.

Una chica de Liverpool.

Se acercó sin ánimo de parecer un ligón, pero tampoco un bobo. Ella estaba sentada, contemplando con calma el efervescente bullicio de la zona de juegos. El cielo amenazaba lluvia, y el frío auguraba otra clase de problemas si se permanecía inmóvil a la intemperie como lo hacía ella. John se detuvo a su lado.

No, no era relativamente bonita. La distancia y su miopía solían gastarle malas pasadas como aquella. Era verdaderamente bonita, quizá un poco entrada en carnes, pero tampoco él era una joya. Todavía con la guitarra en las manos, en el escenario y cantando, ofrecía otra imagen, y las chicas suspiraban por ser novias del aprendiz de estrella. En la escuela de arte las cosas eran distintas.

Le gustaba.

Y mucho.

Ella volvió la cabeza de improviso, dándose cuenta de que no estaba sola, de que alguien acababa de penetrar en su campo. Le dirigió una mirada cargada de desconfianza.

Pero sonrió.

—Hola —dijo John, inseguro—. ¿Vas a estudiar aquí?

—Sí —contestó ella.

—Comienzas tarde el curso, ¿no?

—Sí —repitió.

John apartó sus ojos, buscando un lugar donde fijarlos. Metió las manos en los bolsillos de su pantalón y esperó, nervioso, que surgiera algo que posibilitara el que no se rompiera el puente frágil que acababa de tender. Lo único que se le ocurrió fue:

—Me llamo John Lennon. Estoy en segundo.

—Yo estoy en tercero —dijo ella.

Pensó enseguida que si estaba en tercero era porque tenía aproximadamente un año más que él. Eso no le gustó.

Pero ella le gustaba cada vez más.

—No me has dicho tu nombre.

—Cynthia Powell.

—Suena bien. Tiene musicalidad.

La muchacha acentuó su sonrisa.

—¿Lennon? —murmuró pensativa—. ¿Tú no eres el que tiene un grupo?

Desaparecieron en John los últimos ramalazos de nerviosismo. Entraban en su terreno.

—¡Oh, sí! —respondió con énfasis—. Toco la guitarra y canto. ¿Te gustaría vernos?

Cynthia Powell se puso en pie. John admiró su tipo.

Nunca había creído en los flechazos, ni en los amores a primera vista, pero no recordaba haber sentido nada igual por una chica antes.

—Será fantástico —aseguró ella—. ¿Cuándo?

Pensó en Paul, en George, en Pete, en el grupo, como Johnny y Los Moondogs, Silver Beatles, Beat Brothers, Beatles y los demás nombres que estaban considerando, y también en su suerte.

—Puedo dejarte que veas cómo ensayamos —alardeó.

Sus ojos desprendieron un brillo emocionado y John lo captó. El círculo se cerró al momento.

Igual que cuando surgía el tema, la melodía de una canción, o un poema para darle forma.

—Me gustaría —aceptó ella.

—Entonces, ¿te parece esta tarde?

Comenzó a llover débilmente, como un suave manto cayendo del cielo, pero en su cielo brillaba el sol y no se dieron cuenta.

Punto Cero.

Cynthia y John se dieron la mano.

*Epílogo*
*1959/1980*

SE llamaron Johnny y los Moondogs, y también Beat Brothers, y Silver Beatles y, finalmente, Beatles.

En 1959 abandonaron sus centros de estudio para lanzarse abiertamente por el camino de la música. Eran John, Paul y George como núcleo. Todavía tuvieron problemas para completar el grupo hasta que Pete Best se quedó como batería definitivamente, y un amigo de John, un genio loco como él, llamado Stu Sutcliffle, completó el grupo. En el verano de 1959 debutaron en un *show* de aficionados en la televisión, en Manchester.

Se decía que el *rock and roll* estaba muerto porque Elvis Presley hacía el servicio militar en Alemania, alejado de toda actividad; Little Richard había dejado la música para hacerse ministro del Señor; Buddy Holly acababa de morir, a los veintiún años, al estrellarse en una avioneta; Jerry Lee Lewis era destrozado por los puritanos por haberse casado con una prima suya de trece años (algo usual en los estados sureños de América), y el resto de las estrellas sufría la embestida de los que habían convertido la rebeldía en moda.

En Liverpool, lejos de América e incluso de Londres (donde la réplica británica de Elvis, Cliff Richard y su grupo, los Shadows, triunfaban arrolladoramente), trescientos cincuenta conjuntos que primero hicieron *skiffle* y después música *beat* —el germen del *pop*— iniciaban una sorprendente leyenda. Trescientos cincuenta grupos en una ciudad, un núcleo por cuyo puerto seguía llegando lo que no llegaba a ninguna otra parte del mundo.

Nada es casual, y ni Liverpool ni todos esos muchachos lo fueron.

Los Beatles actuaron en La Caverna y se convirtieron en el grupo más popular de la ciudad. Viajaron a Hamburgo, donde afianzaron sus raíces y su cultura popular, consolidando el potencial del conjunto. En esencia no eran más que cinco jóvenes pretendidamente agresivos, que vestían cazadoras negras y seguían la estela de su sueño de libertad. En 1961, siendo los reyes de Liverpool, grabaron un disco en Alemania acompañando a un cantante llamado Tony Sheridan. Ese disco hizo que un hombre los buscase para proponerles un pacto: él los puliría y ellos trabajarían. Ese hombre, que se convirtió en su agente y en el quinto Beatle hasta su muerte en 1967, fue Brian Epstein. Parte del milagro, de lo que pasó, fue obra suya. En 1961 Stu Sutcliffle había dejado el grupo para quedarse en Alemania con Astrid Kirschner, la creadora del peinado Beatle. Lamentablemente para la historia, Stu murió el 10 de abril de 1962, víctima de un tumor cerebral, a los veintidós años.

En el verano del 62, los Beatles grabaron su primer disco en solitario, con *Love me do*, la canción compuesta tiempo atrás por John y Paul, como tema estelar. En la hora del salto definitivo, Pete Best no pudo resistirlo. Se impuso la necesidad de buscar y encontrar un buen batería, porque John, Paul y George eran ya excepcionales. Los tres estuvieron de acuerdo en ofrecerle la plaza a un tal Ringo Starr, batería del grupo Rory Storm & The Hurricanes. Ringo, cuatro meses mayor que John, aceptó y grabó la definitiva versión de *Love me do*. Nacían los auténticos Beatles, y la historia estaba lista para ser servida.

El día 5 de octubre de 1962 se publicaba el primer disco.

Si el *rock and roll* había muerto, nacía la *Era Pop*.

Si América naufragaba en el desconcierto, después dc haber conocido la mayor fuerza musical de la historia, Inglaterra tomaba el relevo, haciendo que esa fuerza surgiese ya imparable.

El *rock* simple, sin más, como término aglutinante de un gran todo, se convirtió en el núcleo germinal de toda una generación.

Y sigue siéndolo.

Los Beatles hicieron más que ningún otro artista conocido, logrando que por primera vez el mundo viviera en una singular armonía. Durante ocho años se dijo que ni un sólo instante había dejado de sonar una canción suya en algún rincón del planeta. Cualquiera de sus éxitos podía ser oído al mismo tiempo por unos chicos de Roma, de Hiroshima, de Johannesburgo o del Yukón. Muchachos de diferente cultura, nivel social y hasta creencias religiosas o políticas. La música de los Beatles fue la primera que unió a todos. Los integrantes de la llamada generación de la posguerra, los primeros que crecieron o nacieron libres de los fantasmas del pasado, encontraron en la música el vehículo más afín a sus necesidades y ansiedades, y también el lenguaje más universal, una forma de ser, de vestir, de pensar y de existir. Así fue entonces y, pese a los muchos cambios producidos por el devenir de los tiempos, así sigue siendo en la actualidad.

Diferencias personales, el cansancio de tantos años, y el hallazgo de una madurez no mancillada por la fantasía del éxito y la fama, separaron a los Beatles en abril de 1970, dejando tras sí algo más que canciones y leyendas. El *rock* por entonces ya era una espiral apoteósica. Cuando en 1973 estalló la cuarta guerra árabe-israelí y los árabes cortaron el suministro petrolífero a Occidente como presión política, desencadenando lo que se conoce aún como Gran Crisis, todo cambió una vez más. Pero para entonces los tiempos del *rock and roll* puro, del *pop*, e incluso los del vanguardismo de fines de los sesenta habían pasado.

Y ésa es otra historia.

John Lennon se casó con Cynthia Powell en 1962, poco antes de ser grabado *Love me do*. Al año siguiente, cuando acababan de obtener su primer número uno con el segundo disco, tuvo un hijo al que puso por nombre Julian, en honor a su madre.

La importancia de Julia Stanley en la vida de John y el peso de los recuerdos, así como el amor que le profesó en la adolescencia especialmente, cuando las preguntas nacieron sin hallar demasiadas respuestas, quedó sobradamente reflejado a lo largo de los años. El trauma producido por la trágica muerte completó el círculo. John hizo una canción en 1968 titulada *Julia*, y en su primer disco tras la separación del grupo incluyó otras dos evidentemente significativas: *Madre* y *Mi mamaíta está muerta*. Fue el eterno fantasma que le persiguió a lo largo del tiempo.

Su padre, Alfred Lennon, reapareció cuando John ya era famoso, tal vez buscando las migajas del pastel, tal vez deseando recuperar su propia dignidad. Fue tarde. Separados por un abismo insondable, no hubo entre ellos avenencia ni unión. John no pudo perdonar los años de soledad, y especialmente el destino que les dio a su madre y a él al abandonarlos. Beneficiado, sin embargo, por la fama de su hijo, y haciendo honor a la tradición musical, marcada por su propio padre, el abuelo de John, Jack Lennon, Alfred grabó un disco a fines de 1965 con el nombre de Freddie Lennon. Las canciones tenían títulos muy significativos: *That's my life (my love and my home)* y *The next time you feel important* (ésta es mi vida [mi amor y mi casa] y La próxima vez seré importante). El lanzamiento fue un fracaso y el nombre de Freddie Lennon se perdió para siempre en el recuerdo.

Los deseos de John de ser un buen padre y conseguir que la maldición de los Lennon cesara se vieron truncados por el éxito de los Beatles. De 1963 (año del nacimiento de Julian) a 1968 (año del divorcio de sus padres), John y los Beatles vivieron la locura de su apoteosis, y Julian pasó los primeros cinco años de su vida sin apenas ver a su padre. La intimidad de John y Cynthia sufrió el mismo golpe. En 1968 John conoció a Yoko Ono, una artista japonesa, ocho años mayor que él, y los dos se enamoraron de una forma absoluta. El suyo fue un amor que habría de pasar a la historia.

Yoko Ono hizo que John alcanzara su auténtica madurez. Era la primera persona en muchos años que le trató como a un ser de carne y hueso, no como a un mito o un dios. A partir de aquí John comenzó a romper con su pasado: primero fue Cynthia, su novia de la adolescencia; después cambió su nombre, legalmente, dejándose de llamar John Winston Lennon para ser John Ono Lennon. En 1969 John y Yoko se casaron en Gibraltar.

Menos de un año después, con Paul McCartney también casado, los Beatles dejaban de existir como grupo.

Desde su matrimonio con Yoko, y más especialmente desde la libertad individual ganada con la separación de los Beatles, John Lennon se abrió a sus infinitas posibilidades como ser humano, favorecido, cómo no, por su fama y su riqueza. Las tres constantes que marcaron su vida fueron su amor por Yoko, la paz y su propia evolución humana y moral, evolución que pasó necesariamente por la estabilidad de todas las pequeñas y grandes lagunas existentes en su vida. El caso de su paternidad fue el más básico y ejemplar. No podía pagar los errores cometidos con su hijo Julian, ni redimirle, ni volver atrás para recuperar el tiempo perdido, pero deseó con todas sus fuerzas un hijo que le resarciera, que le permitiera, cuando menos, sentirse completo como padre. Yoko Ono tuvo una serie dramática de abortos, hasta que en 1975 los dos pudieron completar su más anhelado sueño: el mismo día que John cumplía treinta y cinco años, el 9 de octubre, y también el mismo día que John conseguía la ciudadanía americana, después de una larga lucha, nacía Sean Ono Lennon. Durante los últimos años John había vivido en Nueva York, con una orden de expulsión de Estados Unidos pesando sobre su cabeza, porque el Gobierno no quería darle un visado permanente ni concederle la ciudadanía americana. ¿Motivo? La militancia política de John en favor de la paz. El pulso llegó a enfrentarle a la mismísima Casa Blanca, y a su inquilino de entonces, el presidente Nixon, contra el que John había luchado apoyando a los demócratas en las elecciones anteriores. La paz y sus ideales eran ya por entonces un horizonte perpetuo en la vida de John y de Yoko.

Nada más nacer su hijo Sean, John cumplió su palabra y dejó de grabar discos. Renunció a ser una *rock star*. En 1977 Yoko y él, con Sean, viajaron al Japón, donde pasaron un tiempo. Fue entonces cuando dijo por primera vez en una rueda de prensa que estaba retirado, y que no volvería a grabar ni a cantar hasta que hubiese completado personalmente la educación de Sean, lo más importante para él. Lamentando siempre no haber sido un buen padre para Julian, se dispuso a sacar de su segunda oportunidad el mayor partido posible. En Nueva York mantuvieron una plácida existencia, rota de vez en cuando por alguna de sus locuras. Locuras tales como enviar semillas de árboles a los principales dirigentes políticos del mundo o como alquilar vallas publicitarias en los suburbios de las ciudades más conflictivas para desear felices navidades a los humildes, aquellos de los que nadie se acordaba; locuras como hacer donaciones cuantiosas de dinero a entidades benéficas, o regalar al cuerpo de policía de Nueva York chalecos antibalas con los que proteger sus vidas. Por entonces, su frase «Dad una oportunidad a la paz» ya era histórica.

En 1980, cuando Sean cumplió cinco años, Lennon aceptó grabar un disco. El número cinco parecía fatídico en la «maldición Lennon»: Alfred Lennon entró en el orfanato a los cinco años, Julian contaba cinco años cuando su padre lo abandonó al divorciarse de Cynthia. Se cumplía la primera etapa. Se sentía feliz, responsable, y de nuevo lleno de cosas que contar y que cantar. Era su vuelta a la actividad, aunque no a la locura del mundo de la música.

En diciembre de 1980 se publicó *Double fantasy*, grabado por él y por Yoko Ono. John Lennon había vuelto.

A las once de la noche del día 8 de aquel diciembre, en España cuatro de la madrugada del día 9, un loco solitario, supuestamente fanático de John, y de nombre Mark David Chapman, de veinticinco años de edad, le disparó a quemarropa un cargador en el vestíbulo del Edificio Dakota de Nueva York, su casa.

El hombre que destinó parte de su vida a la causa de la paz, que amó al mundo y supo crear uno de los sueños más hermosos de la historia, cayó de esta forma, víctima de la violencia inútil del siglo XX.

El futuro había terminado.

*Y una pequeña acotación...*

POR lo general, los libros suelen presentarse al comienzo, en una introducción aclaratoria o un bosquejo de intenciones previas. En este caso, por la singularidad del tema, he creído más oportuno dejarlo para el final, una vez leída y asimilada la obra. No hay en ello otro deseo que permitir una entera libertad en el ánimo de cualquier lector, conocedor o desconocedor de la historia de John Lennon o los Beatles, para enfrentarse a sus propias conclusiones, si es que éstas son necesarias.

Hay mucho escrito sobre los Beatles, antes y después de convertirse en el grupo más famoso de todos los tiempos, y mucho en torno a John Lennon, que por un azar del destino se transformó con su absurda muerte en el primer mártir de la *Era Rock*. Pero cuanto se escriba o se diga jamás hará tanta justicia como los hechos que conforman cada premisa de la historia. Para mí, la clave de lo que fue y representó Lennon reside en lo que sucedió después de su muerte, porque ello dio el definitivo valor a su vida. Cuando al domingo siguiente a su asesinato, Nueva York entero, y el medio millón o más de personas reunidas en el Central Park especialmente, guardó diez minutos del silencio más impresionante que se recuerda en la babel de los rascacielos, de la misma forma que el resto del mundo mantuvo también a las doce del mediodía esos diez minutos de silencio por John y por la paz, por el amor y contra la violencia, algo comenzó a cambiar. Ningún hombre había conseguido nunca algo así, ni vivo ni muerto. Un planeta callado durante diez minutos, por toda la música que un solo ser había sido capaz de dar, y con ella...

Para una generación moría un sueño, desaparecía una ilusión. Muchos nos dimos cuenta de que la juventud quedaba definitivamente atrás. La frase más famosa del mayo del 68 francés, «La imaginación al poder», era aplastada por el horrible martilleo de los disparos que habían acabado con toda posibilidad de fantasía.

Quedaba, eso sí, la esperanza inquebrantable de un eterno futuro.

Con el que comenzar siempre.

Y con el que recordar.

Frente a lo mucho que hay escrito de John Lennon, como beatle, como cantante y artista individual, y como símbolo de muchas cosas, nadie ha hablado jamás de la etapa más crucial en muchas vidas humanas: la adolescencia, el tiempo que va de los catorce a los dieciocho años y que suele, en muchos casos, marcar nuestra vida. Así que ésa ha sido mi intención: desvelar la verdad de un tiempo remoto, apenas conocido, y ahondar en la semilla del Lennon joven, tal vez mucho más importante que la de los otros Lennon: artista, hombre, músico, leyenda, héroe.

Las dificultades, paralelas a la investigación, proceso de datos y análisis en la confección de esta obra, han residido principalmente en las contradicciones existentes en algunas fechas históricas. Sin embargo, creo que en un mundo que pierde constantemente su identidad, los hechos, aquello que conforma la historia, son lo importante. Poco importa que haya dudas en torno al año en que John y Paul se conocieron, cuando en cambio sí es cierto que fue un 15 de junio en el *pic-nic* de Woolton, y que Iván Vaughan fue el que los presentó. Poco importa la mística del proceso evolutivo hasta presentarse en La Casbah, año que también es objeto de dudas, cuando se sabe que fue un 29 de agosto. Los historiadores dudan en lo más fundamental, lo que debería ser evidente, el año, mientras que saben muy bien las fechas. Curioso. Me he atenido a lo que generalmente se da como válido.

Mi intención, frente a la dificultad de precisar fechas y de concretar datos, los muchos puntos oscuros y olvidados del pasado, ha sido la de dejar prevalecer el germen de una realidad global y de un desarrollo afín a ella. La palabra más aproximada para definir lo que representa todo ello es «voluntad». Yo llamaría a esta historia una «épica romántica», o vuelo imaginario por el cielo de una historia verdadera. Sólo la dramatización de cada escena es parte del escritor. El fondo auténtico, la verdad, subsisten, y los hechos fueron tal y como aquí han sido descritos. Los nombres de los personajes son también reales. Las cuatro constantes de la adolescencia y la vida de John Lennon son las que han dado forma a las cuatro partes de este libro: Liverpool (el entorno), Quarrymen (la música), Julia (el drama personal) y Beatles (el sueño hecho realidad).

El resto...

Todo cuanto John Lennon hizo en su vida se gestó en esos años clave. Todo lo que fue o no fue, pudo ser o acabó siendo, surgió aquí. Posiblemente por esta razón la adolescencia de John no deja de ser la adolescencia de todos.

El sueño mágico que se hizo realidad.

La épica de la fantasía convertida en épica de la vida.

Deseo agradecer a todos los personajes reales de esta obra el uso que hago de sus nombres, y pedir perdón por las palabras que no fueron y han sido escritas, tanto como por las que fueron y no lo han sido. Obviamente la realidad siempre es otra cosa, aunque nunca llegue a saberse si mejor o peor. El tiempo, la dimensión de la historia, la pérdida de las referencias y la pátina de los recuerdos, es la curva final que tensa el arco cuya flecha acaba de convertirse en libro. El simple poder de este trabajo reside en el intento, mi intento, por acercar una dimensión humana al mundo que gozó con la música surgida de ella.

Los Beatles nacieron discográfica y popularmente en 1962, pero antes, en 1940, había nacido un niño llamado John Winston Lennon, y en 1955 ese niño dejó de serlo para hacer de su adolescencia una maravillosa aventura.

Por encima y por debajo de miserias y glorias, tragedias y éxitos, ésa fue la mejor de las realidades.

En 1971, John Lennon cantaba en *Imagine* (Imagina):

«Imagínate que no hay cielo,
es fácil si lo intentas.
No hay infierno bajo nosotros,
sobre nosotros sólo firmamento.
Imagínate toda la gente viviendo para hoy...

Imagínate que no hay posesiones,
me pregunto si podrás.
Sin necesidad de codicia ni hambre,
una hermandad de hombres.
Imagínate toda la gente
compartiendo todo el mundo.

Dirás que soy un soñador,
pero no soy el único.
Espero que algún día te unas a nosotros.
Y el mundo será sólo uno.»

Valió la pena.
Vallirana, julio-agosto de 1985.

*Jordi Sierra i Fabra*